Yorkshire Terrier

Muriel P. Lee

Dibujos por: Yolyanko el Habanero

HISPANO
EUROPEA

Título de la edición original:
Yorkshire Terrier

Es propiedad, 2008
© **Aqualia 03, S.L.**

© de la traducción: **Zoila Portuondo**

© Fotografías: **Isabelle Français,
Carol Johnson** y **Bernd Brinkmann**

© Dibujos: **Yolyanko el Habanero**

© de la edición en castellano, 2008:
Editorial Hispano Europea, S. A.
Primer de Maig, 21 - Pol. Ind. Gran Via Sud
08908 L'Hospitalet - Barcelona, España.
E-mail: hispanoeuropea@hispanoeuropea.com

Depósito Legal: B. 19279-2008

ISBN: 978-84-255-1682-5

Segunda edición

Consulte nuestra web:
www.hispanoeuropea.com

IMPRESO EN ESPAÑA   PRINTED IN SPAIN

LIMPERGRAF, S. L. - Mogoda, 29-31 (Pol. Ind. Can Salvatella) - 08210 Barberà del Vallès

Índice

Conocer al Yorkshire Terrier

¿Está buscando un perro que aun no pesando mucho tenga el espíritu de un terrier mucho más grande que él?

Si es así, permítame decirle que el Yorkshire Terrier, o Yorkie, puede ser justamente ¡lo que está buscando! A pesar de su diminuto tamaño, es éste un perro vivaz y resuelto que se cree mucho mayor de lo que es y que, cuando resulta necesario, se defiende muy bien.

Los antecedentes del Yorkie se remontan al siglo XVIII, época de la Revolución Industrial en Inglaterra, cuando muchos escoceses dejaron su país y se encaminaron al sur con la intención de encontrar trabajo en los talleres ingleses. Estos hombres no sólo trajeron sus familias sino también sus perros, entre los cuales estaban los Skye Terriers, los Paisley Terrier y los Clydesdale Terriers. Aunque el peso corporal de estas razas oscilaba entre los 3 y casi

El Yorkshire Terrier, o «Yorkie» es un resuelto y diminuto terrier que tuvo su origen en la Inglaterra industrial y que es hoy una de las diez razas más populares entre las reconocidas y registradas por la FCI.

los 9 kilos, todas tenían un manto bastante espeso de color gris o azul-fuego, en algunas de textura sedosa.

En aquella época había, en el Yorkshire inglés, una raza corriente llamada Waterside Terrier. Se trataba de un perro azul-gris de largo manto cuyo peso oscilaba entre los 3 y los 9 kilos. La combinación de estas cuatro razas dio lugar al Yorkshire Terrier que conocemos en la actualidad, ese bello perro de largo y sedoso manto de color azul acero y fuego, considerado uno de los perros más pequeños del mundo y la raza miniatura más popular del planeta.

A los criadores de estos perros, principalmente tejedores que laboraban en los talleres, les gustaba tener un perro vigoroso capaz de aniquilar una rata tan rápidamente como un terrier, pero lo suficientemente pequeño para llevarlo en el bolsillo a la hora de asistir a una competición de matanza de ratas. Por eso, buscaban no sólo la talla pequeña sino la tenacidad e inteligencia del terrier.

El Silky Terrier fue producto del cruzamiento entre el Yorkie y el Australian Terrier (debajo). El manto azul y fuego del Silky es largo pero no llega al suelo.

Entre los colores reconocidos del Australian Terrier está el azul y fuego. Este pequeño miembro del Grupo Terrier tiene la típica textura áspera del pelaje de muchos terriers.

A principios de la década de 1850, los Yorkies fueron exhibidos en Inglaterra dentro de las clases de Broken-haired Scotch (Escoceses de Pelo Áspero), Scotch Terriers (Terriers Escoceses), Blue and Fawn Terriers (Terriers Azul y Leonado) o Yorkshire Terriers. Pesaban entre 2 y 8 kilos. El Kennel Club Inglés (la asociación canina nacional de Inglaterra) dividió en dos grupos las razas que tenía aceptadas en aquella época: el Grupo de Perros Deportivos y el Grupo de Perros no Deportivos. El Yorkshire Terrier cayó en el segundo grupo, pero aun así era exhibido dentro de las varias clases de Scotch Terriers, Blue and Fawn Terriers y en cualquier otra clase donde pareciera tener cabida. Hacia 1886, el Kennel Club Inglés reconoció la raza como Yorkshire Terrier y la colocó en el Grupo de Perros Miniatura, recientemente formado. Los Yorkshire Terriers ya podían ganar los Certificados de Desafío necesarios para convertirse en campeones ingleses. En 1898, se constituyó el Club del Yorkshire Terrier (de Inglaterra) y la raza continuó ganando popularidad. Habitualmente, el Yorkie descuella como una de las diez razas más populares de Gran Bretaña.

En Inglaterra, sus primeros defensores fueron numerosos, y la raza pronto se hizo conocida. A finales de la década de 1860, Huddersfield Ben, un perro propiedad de J. Foster, criado por el Sr. Eastwood of Huddersfield, llegó a ganar cerca de 75 premios en exposiciones caninas. Con el tiempo llegó a conocérsele como el «Padre del Yorkshire Terrier» y procreó numerosos campeones para otros criaderos.

El primer Yorkie nacido en los Estados Unidos fue registrado en 1872, sólo una década después de que la raza hiciera su entrada en las exposiciones caninas inglesas. La primera vez que hubo clases disponibles para el Yorkshire Terrier en las exposiciones estadounidenses fue en 1887. Las clases dentro de la raza fueron divididas según el peso: por debajo de los 2 kilos y por encima de los 2 kilos. Como la clase con el mayor peso tenía pocos perros, muy pronto

Ch. Turyanne Mischief Maker, ganador de la Monográfica Nacional y propiedad de Rick Krieger, ilustra sobradamente por qué se considera al Yorkie como una de las más hermosas razas caninas.

se decidió que hubiera una sola clase para todos los Yorkies, especificando que el peso oscilaría entre los 1,5 y los 3 kilos. Actualmente, el estándar racial del American Kennel Club (la asociación canina nacional de los Estados Unidos) no acepta que el Yorkie pese más de 3 kilos.

El Club del Yorkshire Terrier de los Estados Unidos se constituyó en 1951. Entre sus muchas actividades, publica una revista trimestral y mantiene un sitio en la red con mucha información sobre la raza y sobre el propio club. Su propósito es salvaguardar y promover el Yorkshire Terrier en los Estados Unidos a través de una crianza ética y una tenencia responsable.

El Yorkshire Terrier es una raza muy popular en los Estados Unidos, donde ha habido un buen grupo de criadores muy activos produciendo magníficos ejemplares. Dos de los criadores que criaron y exhibieron excelentes Yorkies en las décadas de 1950, 1960 y 1970 fueron las hermanas Joan Gordon y Janet Bennet, del criadero Wildweir. Ch. Little Sir Model, perro que importaron de Inglaterra, fue el primer Yorkie que ganó un Mejor de Exposición en un evento de todas las razas. Ch. Star Twilight of Clu-Mor ganó 26 veces el Mejor de Exposición, y su hija, Ch. Proud Girl of Clu-Mor, fue la primera hembra Yorkie que ganó un Mejor de Exposición en un evento de todas las razas. Ch. Wildweir Pomp N'Circumstance fue el padre de 95 campeones y formaba parte de las líneas de sangre de los principales criaderos de los Estados Unidos. Las señoras Bennet y Gordon criaron o expusieron cerca de 250 campeones en la raza, lo que es un logro importante para cualquier criador en cualquier raza de perros.

Barbara y Ron Scott estuvieron activos en la raza durante las décadas de 1980 y 1990, criando bajo el prefijo Stratford. Ch. Royal Icing, un ejemplar que importaron de Inglaterra, produjo 36 campeones, y Ch. Stratford's Blue Max ganó muchas veces el Mejor de Exposición en eventos especializados y de todas las razas. Este criadero produjo cerca de 60 campeones. En 1978, James Edward Clark, uno de los jueces de todas las razas más respetados del país, hizo historia concediendo a Ch. Cede Higgins, de Charles y Barbara Switzer, el premio del Mejor de Exposición en la exposición del Westminster Kennel Club. ¡Fue el primer Yorkie en ganar esta exposición canina tan prestigiosa!

Muchos criadores y aficionados han dado su aporte a la raza criando con excelencia y ganando con perros fuera de serie. Actualmente, la raza se encuentra entre las diez más populares del mundo, y se mantiene firmemente en el rango de perro miniatura número uno de los Estados Unidos.

Cuando se trata de arrimarse, este diminuto perrito ise vuelve grande!

CONOCER AL YORKSHIRE TERRIER

Resumen

■ Los orígenes del Yorkie se remontan a la época de la Revolución Industrial Inglesa del siglo XVIII. Fue el producto de cruzamientos entre terriers ingleses y escoceses.

■ El propósito original del Yorkie era eliminar los roedores y otros pequeños animales de los molinos, aunque también competía en concursos raticidas.

■ Pasaron varias décadas antes de que el Yorkie pudiera disponer de una clase independiente en las exposiciones caninas, y obtener reconocimiento como raza distintiva en su país de origen.

■ El Yorkie apareció por primera vez en los Estados Unidos a finales del siglo XIX y ha progresado al punto de convertirse en la raza «mini» más popular del país.

Estándar y descripción de la raza

Cada raza de perros registrada cuenta con un estándar oficial escrito que ayuda a los criadores y aficionados a entender mejor las características que la definen.

El estándar del Yorkshire Terrier nos da a conocer aquello que diferencia a esta raza de todas las demás. Sin él, sus características esenciales podrían perderse. No es accidental que el manto del Yorkie sea azul y fuego (tan, en inglés) y que alcance el suelo, ni que sus orejas, hocico y cola luzcan de una determinada manera. Estas características están señaladas en el estándar, y los criadores tienen que esforzarse por reproducir esos rasgos, así como la personalidad y el temperamento típicos del Yorkie.

El estándar del Yorkshire Terrier lo ha establecido el club nacional de la raza y lo ha aprobado la asociación canina nacional a continuación: el AKC en Estados Unidos, el UKC en Gran Bretaña

La verdadera imagen de un campeón: cabeza en alto, manto en óptimas condiciones y expresión de confianza.

y la FCI en muchos otros países. El estándar del Yorkie, comparado con el de otras razas, es bastante corto. La sección más larga es la que se ocupa del manto, aspecto muy importante en esta raza. Si usted se propone exhibir a su Yorkie, el manto y color correctos son de la máxima importancia.

El Yorkshire Terrier es un terrier muy activo, fuerte, intrépido y confiado en sí mismo, al mismo tiempo que muy cariñoso, devoto, leal y, por supuesto, amoroso. ¡Con él nunca se aburrirá! Sus oscuros y brillantes ojos de botón le mostrarán que está siempre listo para cualquier cosa que usted sugiera. Sus orejas en forma de V son pequeñas y van erectas. Porta la cabeza en alto y de manera confiada, por lo que da la impresión de darse mucha importancia.

Aun cuando el Yorkie es muy pequeño, debe ser bien proporcionado y compacto, de dorso más bien corto y línea superior pareja. Sus patas delanteras deben ser rectas, y los pies, redondos. Se le corta la cola, que va por encima del nivel del dorso. Si

El corte de pelo del Yorkie mascota ofrece una imagen muy diferente a la del perro que tiene su manto completo, pero eso no le hace ser menos Yorkie.

El Yorkie es un compañero alegre y amistoso, como se aprecia en el rostro sonriente de este ejemplar.

va a ser un perro de exposición, no debe pesar más de 3 kilos una vez que alcance la madurez, aunque un Yorkie mascota puede pesar más.

El estándar describe el manto de la siguiente manera: «Es de gran importancia la calidad, textura y profusión del manto. El pelo es satinado, fino y de textura sedosa. El pelaje del cuerpo es moderadamente largo y perfectamente recto (no ondulado). Si se desea, puede

Los estándares difieren de un país a otro, pero hacen énfasis en los mismos rasgos que hacen del Yorkie la raza especial que es. Este bello perro de exposición proviene del país de origen de la raza, Inglaterra.

recortarse a la altura del suelo para facilitar el movimiento del perro y darle una apariencia más retocada. La cortina de pelo de la frente es larga, y va atada con un lazo en el centro de la cabeza... o con dos lazos.» Resulta muy difícil e innecesario mantener un Yorkie mascota con su pelo largo, si no se piensa exhibirlo. Aun con el corte de pelo propio de las mascotas, el perrillo puede llevar su gracioso lacito en la cabeza.

Los colores del Yorkie son básicamente azul y fuego; sin embargo, todos los Yorkies nacen negros y cambian de color a medida que maduran. El estándar señala lo siguiente en cuanto al color: «Azul: Azul-acero oscuro, no azul-plata ni mezclado con leonado, bronce o negro. Fuego: Todos los pelos color fuego son más oscuros en la raíz que en su mitad, y terminan por ser de un fuego más claro en las puntas. Color del pelo en el cuerpo: el azul se extiende sobre el cuerpo desde la base del cuello hasta la raíz de la cola. El pelo de la cola es de un azul más oscuro. Cortina de la cabeza: es de un fuego dorado intenso, que se profundiza a ambos lados de la cabeza, en la base de las orejas y en el hocico; las orejas muestran un color fuego profundo y rico. Pecho y patas: de un color fuego brillante y rico que no se extiende por encima del codo en el caso de las patas delanteras ni por encima de las babillas en las patas traseras.»

Los colores son complicados, y si usted no está en busca de un perro de exposición, no debería darle demasiado importancia a este aspecto. Más bien, lo que debe buscar es un Yorkie bien criado y ¡que luzca como un Yorkie!

Después de estudiar el asunto y de haber llegado a la conclusión de que éste pudiera ser el perro ideal para su familia, estará mejor preparado para encontrar un criador ¡responsable y serio!

ESTÁNDAR Y DESCRIPCIÓN DE LA RAZA

Resumen

■ El estándar racial es una descripción oficial por escrito que detalla las características físicas, personalidad, movimiento y habilidades ideales de la raza.

■ El Club del Yorkshire Terrier de los Estados Unidos es el club matriz especializado de ese país, y el autor del estándar del AKC para la raza. En Gran Bretaña el equivalente es el Kennel Club Inglés (UKC). Muchos otros países siguen el estándar fijado por la FCI (Federación Cinológica Internacional).

■ El estándar describe las proporciones y estructura corporal correctas para esta diminuta raza.

■ Una larga sección del estándar está dedicada al pelaje y el color, auténticas marcas de fábrica del Yorkie.

El Yorkshire Terrier es una raza miniatura, hecho que no puede ser ignorado ni olvidado a la hora de tomar la decisión de traer uno a casa. Por su pequeñez, hay que tener en cuenta ciertos factores.

Los Yorkies, como muchos terriers, se sienten tan amenazadores como si pesaran 40 kilos, aun cuando tengan un cuerpo pequeñito, ¡por eso la emprenden contra cualquier cosa que se les cruce en el camino! Pueden ser agresivos con otras mascotas pequeñas, como los gatos, los jerbos y los conejos. Como todos los terriers, puede darles por cavar, ladrar, y tener una naturaleza algo agresiva cuando lo consideran necesario. Además, cosa típica de los terriers, han sido bendecidos con una esperanza de vida de alrededor de 15 años, durante los cuales suelen permanecer físicamente activos y desafiantes. Ésta es una raza que también puede ser manipu-

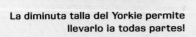

La diminuta talla del Yorkie permite llevarlo ¡a todas partes!

ladora, por lo que, si lo malcriamos, es capaz –y lo hará– de convertirse en el jefe de la casa. Si desea tener un Yorkie como mascota, no debe estar ajeno a estas características de la raza. Una vez dicho esto, no existe razón alguna para que un Yorkie bien criado, con un dueño sensato capaz de adiestrarlo y hacerle saber que él es el jefe, no pueda devenir un compañero delicioso durante toda la vida.

Antes de adquirir su Yorkie, debe pensar en la personalidad y características de la raza para decidir si es la adecuada para usted. Considere los siguientes factores antes de tomar la decisión de de adoptar un Yorkie como compañero.

¿Cuánto tiempo tiene para dedicarle? Los Yorkies son realmente «personitas» y, como tales, les encanta pasar el tiempo con sus dueños. Se sienten verdaderamente miserables cuando se les deja desatendidos durante horas interminables. Su Yorkie necesita cuidado, compañía, adiestramiento y acicalado. Es casi como tener un niño, excepto que el perro permane-

La cabeza del Yorkie es preciosa, con su bella cascada de pelo, sus ojos llenos de brillo y de vida, y su expresión dulce.

El Yorkie no sobrepasa a un niño pequeño ni siquiera cuando ya es adulto. Por otra parte, y debido a su diminuto tamaño, debe ser tratado siempre con cuidado por los niños y las personas mayores. Es una raza de compañia y juguete, pero no un juguete.

ce para siempre en la infancia y por eso necesita cuidado y supervisión durante toda su vida.

Por la seguridad del Yorkie, ¿cuenta usted con un jardín cercado? Aunque los Yorkies no se escapan de la casa, como hacen muchas otras razas, pueden distraerse fácilmente con un pájaro bullicioso o una desvergonzada ardilla que se encuentren al otro lado de la calle. Por supuesto, dado su diminuto tamaño, la cerca no puede tener orificios o brechas grandes por donde el Yorkie pueda salir. Y no olvide que también puede escoger salir por debajo de la cerca: como terrier, cavar es uno de sus muchos talentos.

Piense también en su propia historia canina. ¿Ha tenido antes perros miniatura, o sólo ha tenido razas de mayor tamaño? El Yorkie es muy diferente de los perros promedio de talla regular. Si ha tenido experiencias con perros pequeños, tendrá una idea clara de lo que él puede esperar de usted y de lo que usted debe hacer por él. Como el Yorkie es una raza activa, necesita ejercicio y educación. Se

trata de un perro avispado que necesita un dueño ¡tan listo o más que él!

Su estilo de vida también juega un papel en esta decisión. ¿Tiene niños pequeños? Los niños pequeños no son compañeros adecuados para el delicado Yorkie. Los niños de mayor edad pueden ser compañeros perfectos, si dispone usted del tiempo necesario para enseñarles como cargar y tratar al perro, así como para supervisarles y evitar que lo maltraten. Debido a su pequeña talla, el Yorkie no tolerará abusos infantiles.

A diferencia de un Labrador o de un Golden Retriever, los cuales no se opondrán a que un niño pequeño cabalgue sobre ellos o les tire de las orejas o la cola, un Yorkie así tratado puede resultar seriamente lastimado. Tendrá que enseñar a los niños la conducta a seguir con y alrededor de esta mascota.

¿De cuánto tiempo hay que disponer entonces para tener un Yorkie? Dedicar tiempo al perro no significa que no se pueda trabajar y al mismo tiempo tener un perro. Lo que su mascota necesita es tiempo productivo, igual que un niño. Al Yorkie hay que alimentarlo dos veces al día, y ejercitarlo varias veces. Necesita que lo acaricien y que lo amen, además de que le encantará acompañarle en el coche otro en la tarde. El ejercicio debe ser bajo correa o dentro de un jardín cercado o área cerrada; no le permita nunca correr suelto por el vecindario.

Casi todos los tipos de vivienda son adecuados para el

El acicalado requiere una atención casi constante en el caso del Yorkie, especialmente si su dueño desea mantenerlo con el pelaje completo.

cuando vaya a algún lugar. Tendrá que trabajar con él para tener un perro obediente y de buenos modales. Habrá que sacarlo, por lo menos, dos veces al día, lo que significa un paseo o un buen retozo en la mañana y Yorkie. Como es pequeño, no necesita tanto espacio como un Labrador o un Mastín inglés. Una casa con un jardín bien cercado es ideal, porque el perro tiene espacio para correr y estirar las patas. Y recuerde que es su responsabilidad mantener limpio de heces el jardín. Cuando pasee con él es esencial que lleve una bolsa de plástico para recoger sus deposiciones, que podrá luego arrojar en un depósito de basura cuando vaya de regreso a casa. Por supuesto, con el Yorkie no se puede olvidar el factor de polución sonora. ¿Está dispuesto, o será capaz, de tener un perro que tiende a ser algo ruidoso? ¿Lo tolerarán sus vecinos y los otros miembros de la familia? Como dueño responsable, está en sus manos asegurarse de que su perro reciba el adiestramiento necesario para no ladrar innecesariamente. El Yorkshire Terrier puede ser un poquito ruidoso y ladrador, y no sería justo con sus vecinos permitir que su perro ladrara incesantemente.

Aun cuando se trata de un perro pequeño el pelaje del Yorkie necesita un mantenimiento muy riguroso porque si no se le mantiene limpio y peinado lucirá muy desaliñado. Tendrá que dedicarle al menos una sesión semanal de acicalado si quiere que su ángel azul fuego luzca verdaderamente celestial. Los dueños responsables cepillan a sus Yorkies diariamente. En esta raza, el acicalado es esencial. Si se le deja a su suerte, el pelo crecerá y se arrastrará por el suelo, se enredará y llenará de nudos en muy poco tiempo. Sin embargo, no existe motivo alguno para mantener un perro con el pelo largo si no va a presentarle en exposiciones. Se pueden

Los Yorkies atesoran en sus diminutos cuerpos una gran personalidad y mucho carisma, por eso es frecuente ver que muchos aficionados tienen más de uno.

hacer muchas cosas para aliviar el problema del acicalado; en el capítulo que hemos dedicado al asunto, ofrecemos algunas sugerencias sobre cómo tratar el manto del Yorkie con bastante facilidad.

Nos hemos referido a la pequeñez, a su disposición de terrier y a su largo manto. Pero al Yorkie también se le aprecia por su inteligencia, devoción a la familia, habilidades para vigilar a los que le rodean, junto con sus propiedades, por su belleza y vitalidad. ¿Le parece que es el perro adecuado para usted? Por favor, aprenda tanto como pueda acerca de la raza antes de correr a comprar el primer cachorro que vea.

Si desea más información sobre el Yorkshire Terrier visite el sitio web del club de la raza en su país, o la asociación canina nacional.

¿ES LA RAZA ADECUADA PARA USTED?

Resumen

■ ¿Está listo para tener un perro diminuto con la personalidad e inteligencia de una raza mucho mayor?

■ La persona adecuada para el Yorkie debe estar preparada para criar y adiestrar a un terrier que, ocasionalmente, es ruidoso y desafiante.

■ La persona adecuada para el Yorkie garantizará la seguridad y trato adecuados de su diminuto compañero.

■ La persona adecuada para el Yorkie deberá dedicar mucho tiempo al acicalado de su perro.

■ La persona adecuada para el Yorkie investigará todas las facetas de la raza, sus pros y sus contras, antes de decidir que éste es el perro que desea.

Selección del criador

Al seleccionar una raza tan popular como el Yorkie, podrá verse tentado de adquirir el primer perro azul y fuego que vea.

Si desea un Yorkie sin demasiadas exigencias y no le importan su pedigree ni sus antecedentes, entonces corra ahora mismo a comprar el primer cachorro barato que le vendan. Pero si le interesa la salud, el temperamento, la apariencia y la longevidad de su futuro compañero y amigo, entonces acometa la búsqueda de un criador con la consideración y el cuidado que el asunto merece. En el mundo canino, siempre obtendrá aquello por lo que paga. Si un criador está dispuesto a venderle un cachorro con descuento, esté seguro de que pagará la diferencia una y otra vez en la consulta veterinaria.

Al optar por un Yorkshire Terrier está haciendo una selección elegante. No limite sus posibilidades antes incluso de traer el ca-

Sabrá que ha encontrado un buen criador cuando le vea desplegar con orgullo su amor por el Yorkie.

chorro a casa. Aunque su Yorkie no vaya a ser más que una mascota y no un perro de competencia o exposición, usted desea un Yorkie que parezca y actúe como tal. ¡Por supuesto! De lo contrario, iría a buscar un perro común a la perrera local (¡lo que no deja de ser una acción laudable!).

Cuando se decida a comprar el cachorro de Yorkshire Terrier, deseará que esté sano y que haya sido producido por un criador responsable. Este tipo de criador es una persona con muchos años de experiencia en la raza, alguien que ha meditado mucho antes de reproducir su perra. Ha considerado los problemas de salud que comporta la raza, dispone en su casa del espacio suficiente para albergar la camada de cachorros, y del tiempo que es necesario dedicar a todos y cada uno de los cachorros. Él no cruza su perra con el perro de la esquina porque es fácil y porque quiere mostrar a sus hijos el milagro del nacimiento. Y sobre todo, no consiente que otra persona venda sus cachorros por él, sino que insiste en conocer personalmente a cada

La única manera de producir buenos cachorros de Yorkie es partiendo con progenitores de primera línea.

Los buenos cachorros ¡no brotan de los árboles del jardín! Son el resultado de la esmerada crianza que llevan a cabo los criadores consagrados que aman al Yorkie.

nuevo dueño y, para eso, no necesita ayuda.

Un criador responsable es alguien consagrado a la raza, que se esfuerza por erradicar todas las faltas y problemas hereditarios, y cuyo mayor interés está en mejorarla. Para hacerlo, estudiará los pedigrees y observará lo que están produciendo los sementales líderes. A fin de encontrar el macho que necesita para su perra, puede que la lleve en avión de un extremo al otro del país con el objeto de cruzarla con un macho específico, o puede que conduzca su coche a consi-

derable distancia de su hogar para llevarla donde el perro elegido. Puede que produzca una o dos camadas al año, lo que significa que puede no tener cachorros disponibles cuando usted le telefonee por primera vez. Recuerde que las camadas de Yorkie están entre las más pequeñas, y que algunas perras pueden tener sólo de uno a tres cachorros por camada. Adquirir un bueno cachorro puede requerir paciencia, así que no se precipite.

Visite el sitio web del club de la raza o de la sociedad canina nacional donde hay vínculos

Cuidar de la camada representa tanto trabajo para la perra como para el criador.

con los clubes locales y regionales de Yorkshire Terrier. En su zona de residencia o, al menos, en el estado donde vive, debe haber más de uno. El club local probablemente podrá ponerle en contacto con los criadores miembros que viven en

local del Yorkshire Terrier y también del nacional. Es casi seguro que exhiba sus propios perros en exposiciones de conformación y que tenga una pared decorada con los certificados de campeonato obtenidos por los perros y perras de su criadero.

El criador cuenta con un corral seguro para que los cachorros pasen algún tiempo al aire libre y puedan así comenzar a entrar en contacto con el gran mundo que se extiende más allá del nido materno.

la zona, así como contestar sus preguntas.

Un criador responsable de Yorkshire es alguien que lleva años criando y cuya participación en la raza tiene carácter nacional. Será miembro del club

Si encuentra un criador que «no esté en lo de las exposiciones», probablemente habrá conocido una persona que lo hace por afición. Y este tipo de criador no suele ser una fuente confiable para obtener cachorros, porque

Selección del criador

carece de la experiencia o dedicación necesarias para producir perros puros, típicos y sanos. Los criadores que exhiben sus propios perros (o que contratan presentadores para que los exhiban por ellos) están interesados en las opiniones de los expertos,

El criador responsable le mostrará las instalaciones del criadero, si es que lo tiene, o le invitará a su casa para que vea a los cachorros y conozca a la madre (y también al padre, si es posible). El área de los perros estará limpia y olerá bien. El criador le

El primer contacto humano de los cachorros es con el criador, quien les brinda amor y atención manual para fomentar en ellos el vínculo con las personas.

además de la propia. El título de campeón garantiza que por lo menos tres expertos han concordado en que el perro que se ha hecho merecedor del mismo es un ejemplar notable dentro de la raza y, por ende, merece la pena reproducirlo.

mostrará a la madre del cachorro que está usted considerando, la cual se encontrará limpia, acicalada y olorosa. Los cachorros también estarán limpios, tendrán las uñas cortadas y las caritas libres de suciedad. Puede que el criador le muestre sólo uno o dos de los cachorros, porque haya decidido no enseñarle aquellos que ya están vendidos o que se vaya a reservar para sí.

El criador también tendrá preguntas que hacerle. ¿Ha tenido perros antes? ¿Cuántos? ¿Ha tenido un Yorkie? ¿Vivieron mucho sus perros? ¿Tiene un jardín cercado? ¿Cuántos hijos tiene y de qué edades? ¿Está dispuesto a emplear tiempo enseñando a sus hijos cómo tratar al nuevo miembro de la familia? ¿Ha adiestrado alguna vez a un perro? ¿Está dispuesto a matricularse con el suyo en un cursillo de obediencia? ¿Tiene otras mascotas? No se ofenda por estas preguntas. Él ha invertido mucho esfuerzo y dinero en la camada, y por ello su prioridad número uno es proporcionar a cada cachorro un hogar apropiado, donde será bienvenido, cuidado, amado y atendido.

Y así como el criador le interroga a usted, no se verá mal que usted tenga su propia lista de preguntas para él. A los criadores les gusta toparse con futuros dueños bien preparados. Un buen criador se sentirá impresionado y halagado de que usted se haya tomado el tiempo necesario para convertirse en un «comprador inteligente».

Pregúntele por qué planeó esta camada. ¿Qué se proponía alcanzar con ella? Es más que probable que él le explique exactamente los rasgos de cada uno de los progenitores que está intentando reproducir y mejorar en sus cachorros. Pídale que le muestre el pedigree del perrillo para que pueda evaluar sus antecedentes. Los títulos que en él aparecen, tales como «Ch», o «CD», indican que los parientes del cachorro han ganado premios en exposiciones de conformación o en eventos de Obediencia. Mientras más títulos, ¡mejor! Sobre todo, si los más importantes corresponden al padre y abuelo (así como a la madre y abuela) del cachorro. No es tan importante si los títulos los ganaron los bisabuelos, tatarabuelos, etc.

Pregunte por los certificados de salud de los progenitores. Algunos de los problemas hereditarios o congénitos de la raza son la luxación de la rótula, la fontanela abierta, la enfermedad de Legg-Calves-Perthes y, en menor medida, el paladar blando alargado, la estenosis traqueal, la atrofia progresiva de la retina, las cataratas, la queratitis seca y los cálculos renales. Averigüe qué ha hecho el criador por eliminar de sus líneas estas enfermedades. Los certificados que confirman la ausencia de problemas oculares pueden estar registrados en la Fundación de Registro del Ojo Canino (Canine Eye Registration Foundation: CERF). Los buenos criadores le mostrarán, no sólo gustosa, sino orgullosamente, todos esos documentos.

No le avergüence preguntar por el contrato de venta y el precio del cachorro. La mayoría de los criadores de prestigio tienen contratos de venta de cachorros que incluyen garantías de salud específicas y pólizas razonables de devolución. Ellos deberían aceptar un cachorro de vuelta si las cosas no funcionan. También deberían estar dispuestos, incluso ansiosos, de constatar el progreso del cachorro después de abandonar el hogar natal e irse a su nueva casa, así como estar

disponibles para aconsejarle ante las dudas y problemas que pueda usted encontrarse con él. Como comprenderá, todas estas condiciones tienen un precio elevado, no importa si está adquiriendo un Yorkie con «calidad de mascota» que le sirva de compañía, o un perro de exposición. Los criadores suelen evaluar a sus cachorros, y los que tienen poco o ningún potencial como perros de exposición son considerados con «calidad de mascota» y se venden más baratos que los cachorros con «calidad para exposición». No quiere decir que estén menos sanos, sólo que carecen de ciertos rasgos deseables en los perros de exposición.

Muchos criadores inscriben a los cachorros con calidad de mascotas en el Registro Limitado de la sociedad canina. El cachorro aparece registrado y el registro permite que el dueño compita en algunos tipos de eventos (no en conformación), pero no que asiente su descendencia en caso de reproducirlo, cuando sea adulto. El objetivo es evitar la reproducción indiscriminada de Yorkies con calidad de mascota. El criador, y sólo él, puede cancelar el Registro Limitado si el perro, ya adulto, termina convirtiéndose en un animal con calidad reproductora.

Si tiene dudas, siéntase con el derecho de pedir referencias y compruébelas. No es probable que el criador le proporcione nombres de clientes que estén insatisfechos, pero conversar con otros dueños le permitirá sentirse más cómodo cuando trate con él.

Puede encontrar listas de criadores miembros del Yorkshire en el sitio web del club de la raza. Revise también el sitio de la sociedad canina nacional: tiene vínculos con otros clubes y criadores de Yorkie en todo el territorio. Llámelos y pregúnteles sobre sus camadas. Cualquier información obtenida a partir de estas conversaciones le harán un comprador más inteligente a la hora de visitar los cachorros.

SELECCIÓN DEL CRIADOR

Resumen

■ En las razas populares ¡abundan los criadores! Sin embargo, para encontrar a los buenos de verdad hay que buscar y tener paciencia; no obstante, son la única fuente digna de tener en cuenta a la hora de adquirir un cachorro.

■ El criador responsable tiene experiencia y conocimiento sobre el Yorkie, y se propone mejorar la raza con cada camada que produce.

■ Pertenecer al Club de la Raza es buena señal porque los criadores miembros deben atenerse a un estricto código de ética en sus programas de cría.

■ Tenga listas todas las preguntas que quiera hacerle al criador y prepárese para ser a su vez entrevistado por él.

■ Investigue los antecedentes de su cachorro potencial, y los de sus padres. Analice los pedigrees y pregunte por los certificados que los declaren libres de enfermedades genéticas

Elegir el cachorro adecuado

Su gesta en pos del Yorkie perfecto, ya sea para mascota o para perro de exposición, debe estar impulsada por el conocimiento, y regulada por la paciencia.

Aunque un Yorkie con calidad de perro de exposición costará más, el que tiene calidad de mascota no será precisamente barato. Hay una gran demanda de cachorros, y los mejores criadores reciben los mejores precios por sus perros.

Antes de ir a visitar al criador y ver los cachorros, debe pensar si desea un macho o una hembra. Algunas personas consideran que los machos son más fáciles de adiestrar, pero más agresivos que las hembras. Otras prefieren la disposición más suave de estas últimas. Hay varios factores que debería considerar antes de tomar la decisión. En el caso del Yorkshire Terrier, la talla no difiere mucho entre machos y hembras, pues básicamente, pesan entre 1,5 y 3 ki-

¿Será capaz de imaginar el enorme impacto que causará en su vida este diminuto cachorrillo? ¿Está listo para ello?

los cuando son adultos. Un Yorkie mascota puede pesar 3,5, y tal vez hasta 4 kilos, pero no mucho más. Por cierto, no existe eso que llaman el «Yorkie de la taza de té». La raza tiene una talla, y lo más sabio será que evite esos criadores de pacotilla que pregonan tener Yorkies que caben en una taza.

Si cada cachorro es tan lindo como el otro, ¿cuál escoger?

Si no está en sus planes esterilizar a su mascota, sepa que las hembras entran en celo aproximadamente cada seis meses. Muchos criadores exigirán que esterilice al perro mascota por razones de salud. El celo de la perra es una época difícil que dura alrededor de tres semanas, ensucia la casa y atrae a los machos que andan sueltos por el vecindario, los que se sentarán a la entrada de la casa como enamorados ansiosos. Los machos no esterilizados pueden ser más agresivos y tienden a levantar más la pata y a montar sobre las piernas de las personas y los muebles.

Si no está seguro del sexo, analice el asunto con el criador y verá como él le orienta. Habrá ocasiones en que no podrá ele-

El Yorkie es un terrier miniatura que se adapta maravillosamente, por eso resulta un gran compañero para casi todas las personas de cualquier edad, estilo de vida y peculiaridades habitacionales.

gir el sexo porque no hay más que un cachorro. Por lo general, los criadores se quedan con las hembras y venden los machos, aunque eso depende de su programa de crianza y filosofía particular. En la selección del sexo del perro juegan un papel importante las intenciones que tenga con su cachorro. Si se propone llevarlo a exposiciones, el macho es la mejor opción porque suele tener el manto más completo y mejor presencia en el ring. Si pretende criar, la hembra es obviamente la elegida, aunque la cría no es un hobby que deba tomarse a la ligera.

Lo más probable es que el criador tenga sólo uno o dos cachorros disponibles, dado que la mayoría de las perras tienen camadas promedio de tres cachorros. Si ha seleccionado concienzudamente al criador, no debe desanimarse como podría ocurrirle en el caso de estar escogiendo un cachorro de Greyhound o de Dogo Alemán de una camada de diez o más cachorros, con mantos de diferentes colores y patrones. Los dueños de Yorkie sólo tienen una opción en cuanto al color del manto.

Incluso si hay sólo uno o dos cachorros para escoger, debe considerar el temperamento de los perrillos. No elija al que se queda rezagado ni al que está gira que gira como una figurilla de feria de color azul y fuego. Es bueno que el cachorro sea activo, pero el hiperactivo puede transformarse en un adulto del mismo talante, con el cual habrá que tener más paciencia y al que será necesario dedicar más tiempo en su adiestramiento. Lo ideal es el cachorro normal, aquel que muestra interés, que viene hacia uno, que nos escucha cuando hablamos y que se ve muy alerta. Si usted tiene paciencia puede darse el lujo de ser selectivo. No olvide que está añadiendo un nuevo miembro a su familia y por eso le interesa que sea inteligente, sano y, por supuesto ¡divertido!

Si es la primera vez que tiene un cachorro, sepa que habrá gastos además del precio del perro. Necesitará comprar collar, correa, platos, utensilios para el acicalado, y ¡no es todo! La jaula es realmente esencial, así como una cerca alrededor del patio o, por lo menos, una pequeña área cercada para que el perro corra. Los gastos que entraña el pequeño Yorkie nunca son tantos como los de las razas grandes, que requieren un equipamiento siderar el gasto de tener a su perro acicalado, si decide que otra persona lo haga por usted. Y, lo mismo que con los otros perros, están los gastos veterinarios, los que se emplean en adquirir preparados contra pulgas y garrapatas, medicinas contra las

Pase algún tiempo en compañía del cachorro y de la madre. Observe cómo reaccionan entre sí, con usted y con el criador: ello le permitirá adquirir un valioso conocimiento sobre sus temperamentos.

gigantesco y toneladas de granulado. Aun así, los utensilios de acicalado para el Yorkie serán considerablemente más caros que los de las razas de pelo corto, que sólo necesitan un peine y un cepillo. También debe considerar filarias y otras necesidades médicas. Debe tener en cuenta todos estos gastos antes de traer el cachorro a casa.

Ahora está listo para seleccionar al perrillo. Ha decidido que usted es la persona adecuada para el Yorkie, ese dueño esforzado y decidido, dispuesto a adoptar un Yorkshire Terrier «niño». Dispone de tiempo para dedicarle y hacer su vida plena y significativa. La familia entera está igualmente lista para recibir al recién llegado, que formará parte no sólo de la casa sino también de la vida de todos sus miembros. Usted ha hecho su tarea de localizar un criador responsable que tiene una camada disponible. Aunque la mayoría de los criadores de perros conservan los cachorros sólo hasta las ocho semanas de edad, los de Yorkie suelen hacerlo hasta los tres o cuatro meses. Estos cachorrillos son muy pequeñines y necesitan que se les cuide y trate con delicadeza.

Concierte una cita con el criador para que conozca a los cachorros. Sea cortés y puntual. Debe llegar a la hora acordada porque él tendrá listos los cachorros para que los vea. Los perrillos deben estar limpios, acicalados y animados, con las trufas mojadas, el manto con un toque de brillo, y las costillas no fácilmente perceptibles al tacto.

Entonces ha llegado el momento de escoger a uno de estos pilluelos y acurrucarle entre los brazos.

Considere el manto del cachorro ya que es uno de los rasgos gloriosos del Yorkie. No importa si el suyo es una mascota o un perro de exposición, un buen manto marca decididamente la diferencia. El manto de los cachorros es negro azulado, lacio y brillante. No seleccione al que tenga un pelaje esponjoso porque cuando crezca lo tendrá lanoso, y eso ni es típico de la raza ni fácil de atender. El pelaje esponjoso en las patas promete un manto algodonoso cuando el perro sea adulto, así que evítelo en el cachorro. No le dé la espalda a aquel que no tenga un manto muy espeso porque a menudo un pelaje insustancial en el cachorro termina convirtiéndose en un perfecto y sedoso manto en el adulto.

Recuerde que el color del pelo en los cachorros es casi negro del todo, pero deben verse algunas raíces doradas emergiendo. Obsérvele la cabeza y verá cierta blancura en la base de los cabellos. Como la cara del Yorkie adulto debe ser de color dorado brillante, evite aquella cara demasiado oscura o donde el naranja y el negro aparezcan mezclados. Algunos criadores recomiendan observar las patas. Sombras de color fuego en las canzado la mitad del peso, así que es fácil saber cuánto más crecerá. No es infrecuente que algunos cachorros se vean un poquito más largos de lo que dice el estándar cuando se refiere a proporciones cuadradas, pero la altura llegará con el tiempo. El dorso del cachorro debe ser

La camada debe estar en un lugar limpio y abrigado, con espacio suficiente para todos los cachorros, y en un área donde tengan contacto frecuente con la familia del criador mientras ésta desarrolla su rutina diaria.

patas indican que la coloración se desarrollará perfectamente en la madurez.

Un cachorro de tres meses de edad está sólo comenzando a mostrar los rasgos que tendrá cuando sea adulto. A esa edad, lo más probable es que haya al-parejo, ya que cualquier desviación de la línea dorsal casi nunca mejorará. Los criadores de perros de exposición buscan cachorros de flancos cortos para que cuando maduren alcancen las angulaciones apropiadas. Un cachorro que no tenga buenas angulaciones traseras, terminará siendo alto de atrás, rasgo indeseable de acuerdo con el estándar.

Si lo que desea es un perro de exposición, busque un cachorro de Yorkie que tenga también una buena angulación en el hombro porque esto es lo que le confiere al perro adulto ese elegante porte de cabeza, tan deseable. Las patas delanteras deben ser rectas, típicas de la estructura terrier, y las patas traseras deben ser paralelas vistas desde atrás, con una angulación moderada igual que en el frente. Un problema frecuente en el Yorkie es la luxación de la rótula, o las rótulas sueltas, causadas por una mala angulación trasera.

Aunque todos estos rasgos físicos son importantes para la tipicidad del Yorkie, no lo son menos la salud y el temperamento. Un perro miniatura debe ser dulce y sociabilizado. Lo que quiere decir que el cachorro debe mostrarse amistoso y sociable, contento de conocerle y listo para todo. Considere la personalidad de la perra, porque le

dirá mucho sobre el temperamento futuro del cachorro. Observe también cómo interactúa este último con el criador. A partir de esta relación, se puede saber mucho sobre uno y otro.

Debe preguntar al criador si los progenitores de la camada tienen hechas las evaluaciones de temperamento. Son pruebas establecidas por la Sociedad Estadounidense de Pruebas de Temperamento *(American Temperament Test Society: ATTS)*. Los criadores responsables conocen esta organización y someten a prueba a sus perros. El criador le mostrará las planillas de puntuación a partir de las cuales podrá usted determinar fácilmente si estos ejemplares tienen la personalidad que está buscando. Además, es una excelente indicación de que tiene frente a sí a un criador responsable.

Las pruebas de temperamento de la ATTS se les hacen a los perros que ya han cumplido los 18 meses de edad, lo que quiere decir que a los cachorros no se les hacen, pero sus padres sí pueden tener sus temperamentos evaluados. La prueba consiste en un paseo simulado a través de un parque o del vecindario, donde el perro se enfrentará a situaciones cotidianas, algunas neutrales, otras amistosas y otras amenazadoras. Entonces se observa cómo reacciona ante esos variados estímulos. Los problemas que se intenta detectar son agresión sin provocación, pánico sin recuperación y fuerte anulación. Se observa la conducta del perro hacia los extraños, su reacción ante estímulos visuales, táctiles y sonoros, así como su comportamiento autoprotector y agresivo. Durante la prueba, que dura cerca de 10 minutos, el perro va con la correa suelta. Aunque a los Yorkies no se les evalúa frecuentemente el temperamento, cerca del 82 % de los que han pasado la prueba han sido aprobados.

Por otra parte, hay criadores que someten a prueba el temperamento de sus cachorros valiéndose de un profesional, de su veterinario o de otro criador de perros. Ellos podrán detectar

Observe cuál de los cachorros de la camada simpatiza más con su familia. Algunas veces el cachorro perfecto ¡le escogerá a usted!

al más enérgico y al de respuesta más lenta, al de espíritu independiente y al que desea seguir a la manada. Si la camada ha sido evaluada, el criador le sugerirá el cachorro que, en su opinión, se ajusta mejor a su familia. Si no, usted mismo puede hacer algunas sencillas pruebas mientras está sentado en el suelo jugando con los perrillos.

Mueva la pierna o chasquee los dedos y observe cuál es el cachorro que se le acerca primero. Bata palmas y observe si hay al-

El temperamento se mide, entre otras cosas, observando la reacción del cachorro cuando se le coge y se le toca.

guno que se aleja de usted. Observe cómo juegan los cachorros entre sí. Fíjese en el que tenga la personalidad que le resulte más simpática porque ése será probablemente el que se lleve a casa. Busque el cachorro que parezca estar «en el medio», que no sea demasiado bullicioso, agresivo o sumiso. Está bien que sea alegre, pero no salvaje. Dedique algún tiempo a seleccionar su cachorro. Si no está decidido, diga al criador que le gustaría ir a casa y pensarlo un poco más. Se trata de una adición importante a la familia que puede estar con usted entre 10 y 15 años. Asegúrese de adquirir un cachorro con el cual todo el mundo en su casa se sienta feliz.

Aparte de comprar un cachorro, está la opción de adoptar un Yorkie «rescatado». Casi siempre se trata de perros a los que, por determinadas razones, se les está buscando un nuevo hogar. Por lo general, suelen ser perros de más de un año de edad que a menudo están adiestrados y educados para vivir dentro de la casa. Las organizaciones de rescate de la raza los bañan y acicalan además de proporcionarles un certificado veterinario atestiguando su buena salud.

Usualmente, estos perros se convierten en mascotas maravillosas porque agradecen vivir en un hogar amoroso. No sólo los clubes nacionales tienen organizaciones de rescate activas, sino que los clubes locales tienen también grupos de personas trabajando en ello. Los comités de rescate están formados por personas consagradas, muy preocupadas por la raza, que trabajan para asegurarse de que cada perro tenga en la vida las mismas oportunidades. Investigue tanto como sea posible los antecedentes de su posible perro. Si hace sus gestiones a través de la organización de rescate del club de la raza, tendrá garantizado conseguir un perro con el cual podrá vivir.

ELEGIR EL CACHORRO ADECUADO

Resumen

■ Cuando haya localizado uno o dos criadores adecuados, ha llegado la hora de divertirse conociendo cachorros.

■ ¿Macho o hembra? ¿Mascota o perro de exposición? ¿Muy activo o más meloso? Analice con el criador lo que desea en el Yorkie, y sus intenciones futuras con relación a él para que le ayude a seleccionar el cachorro más apropiado.

■ Antes de adquirir un cachorro, cerciórese de que puede asumir los gastos que entraña la tenencia de un perro.

■ Sepa qué buscar en un cachorro sano y correcto, tanto física como temperamentalmente.

■ Adoptar un Yorkie adulto es otra opción para las personas que deseen perros de esta raza.

Llegada a casa del cachorro

Traer a casa un cachorro de Yorkie no se diferencia mucho de traer un bebé humano del hospital materno.

Este paquetito de un kilo le robará el corazón inmediatamente, y usted se sentirá orgulloso y ansioso por mostrar el «nuevo bebé» a toda la familia. Pero, antes de traer el cachorro, debe preparar «el cuarto de los niños» para el Yorkie. Elija una habitación de la casa sólo para él, donde colocará sus recipientes de agua y comida, su lecho, jaula y caja de juguetes. Haga una ligera correría por la tienda para mascotas –cualquier excusa para comprar es buena–. Y adquiera allí buena mercancía para que le dure muchos años. Necesitará comida para el cachorro, platos, una jaula metálica, una camita suave y bonita, un collar y una correa, una chapita de identidad, peine, cepillo, cortaúñas, y algunos juguetes divertidos pero seguros.

Vamos a ser más específicos.

Haga que su cachorro se sienta en casa, proporcionándole una jaula que pueda considerar suya, juguetes, y una manta cómoda para acurrucarse.

Recipientes

Las tiendas para mascotas venden docenas de recipientes o platos de diferentes estilos. Será difícil resistirse a comprar esos preciosos platos de cerámica. Son bellos para usarlos dentro de casa. Para fuera, puede comprar un par de recipientes de acero inoxidable, fáciles de lavar y resistentes a las inclemencias del tiempo.

Comida para el cachorro

El criador le aconsejará acerca de la mejor marca para alimentar al Yorkie. Siga su consejo y no le cambie la comida hasta que llegue el momento de usar una para adultos. Compre la de granulado chico, especialmente diseñada para la breve mordida de las razas pequeñas.

Jaula

En el mercado hay varios tipos de jaulas. Las más comunes son las metálicas y las de plástico duro, aunque también las hay de madera, tejidas y de mallas. La mejor para el adiestramiento doméstico y para usar dentro de

¡Yorkies en tropel! Durante los primeros días de estancia en la nueva casa, el cachorro extrañará la compañía de sus hermanos, que formaban su manada de cachorros.

No necesita para su Yorkie una jaula grande, pero sí que sea fuerte para mantenerlo bien protegido durante los viajes. Las jaulas de fibra de vidrio, como la que aparece en la foto, son preferibles para los viajes, pero las de alambre son mejores para la casa.

El abrazo de un amigo y un juguete para morder ayudarán al cachorro a adaptarse al nuevo hogar.

casa es la metálica. La jaula le resulta útil al cachorro no sólo para dormir, sino para pasar el tiempo cuando no hay nadie en casa o cuando nadie lo está supervisando. En muy poco tiempo, él aprende que la jaula es su segunda «casa», y en ella se sentirá seguro y protegido. Si se le deja suelto y solo, pronto se aburrirá y comenzará a mordisquear los muebles, la ebanistería, y todo lo que pueda.

Estos problemas se evitan manteniendo al cachorro confinado cuando el dueño está ausente o no lo puede vigilar. No se le olvide colocar dentro de la jaula varias toallas o un cobertor lavable, así estará cómodo. Compre una jaula pequeña: le servirá tanto para la etapa de cachorro como para cuando su perro sea adulto.

Collares y chapita de identidad

El cachorro debe tener un collar ajustable que le permita ir acomodándolo a medida que crezca. Los de nilón ligero son los más prácticos tanto para cachorros como para perros ma-

La jaula de alambre permite una mejor ventilación, una vista clara de todo lo que ocurre alrededor, y da al cachorro de Yorkie una sensación de seguridad.

duros. Ponga el collar al cachorro tan pronto como llegue a casa para que se acostumbre a usarlo. La chapita de identidad debe tener su número telefónico, nombre y dirección, pero no el nombre del cachorro porque de ese modo cualquier extraño puede identificarlo y llamarlo. Algunos dueños incluyen una aclaración que dice que el perro necesita medicamentos, con la esperanza de recuperarlo más rápido si se pierde o se lo roban. Utilice una argolla redonda (como la de los llaveros) para adjuntar la chapa de identidad porque las que tienen forma de «S» se enganchan en las alfombras y se sueltan con facilidad.

Los collares para perros no se han quedado a la zaga del

gran desarrollo tecnológico moderno. Algunos vienen equipados con bípers y dispositivos de rastreo. Las más avanzadas técnicas de identificación de mascotas utilizan el Sistema de Posición Global, que se ajusta en el interior del collar o de la chapa de identidad. Cuando el perro traspone el perímetro casero previamente programado, el dispositivo envía un mensaje directamente al teléfono del dueño o a su dirección de correo electrónico.

Correas

Para su propia conveniencia y por la seguridad de su cachorro, debe tener en casa por lo menos dos tipos diferentes de correa. Una delgada, de piel, de cerca de dos metros de longitud, es la mejor para los paseos, para el kindergarten de cachorros, otras clases de obediencia y el adiestramiento con correa.

El otro tipo de correa es la extensible, que puede alargarse y acortarse desenrollándose y enrollándose dentro de un estuche manual, apretando un botón. Es la herramienta ideal para ejercitar cachorros y perros adultos, por lo que no debe faltar en el guardarropas canino. Las correas extensibles pueden ser de diferentes medidas (desde dos metros y medio hasta siete u ocho) y unas son más fuertes que otras, para usarlas en relación con el tamaño de la raza. Mientras más larga, mejor, porque permitirá que su perro corra y olfatee todo lo que le plazca lejos de usted. Son especialmente manejables para ejercitar al cachorro en áreas no cercadas o cuando se viaja con el perro.

Utensilios de acicalado

Para atender el pelaje de su cachorro, necesita un buen cepillo, de cerdas naturales y/o de nilón, además de dos peines metálicos, uno de dientes gruesos y otro de dientes finos. También, un par de tijeras para recortar el pelo y un cortaúñas tipo guillotina. En la tienda para mascotas podrá encontrar estos utensilios. En dependencia del acicalado que se proponga hacerle a su Yorkie, necesitará adquirir otros adminículos. Si decide no mantenerlo con el pelo largo y hacerle el corte de mascota, necesitará una máquina eléctrica de cortar el pelo con una cuchilla mediana.

La cama del perro

Su bebé Yorkie debe tener, además de jaula, una cama. Hay camas para perros de todo tipo, desde los pequeñas y baratas hasta las elegantes, con cabecera, para las razas más aristocráticas. Y, aunque su Yorkie merece lo mejor, lo aconsejable es esperar que crezca un poco, y haya menos probabilidades de que le dé por hacerla pedazos u orinarse en ella, an-

tes de invertir en una suite tipo Waldorf Astoria.

Juguetes

Es hora de convertirse en Papá Noel: traer juguetes para el Yorkie hace que cada día parezca Navidad. Los cachorros adoran jugar, y los Yorkies no son la excepción. Hoy día, las tiendas para mascotas tienen secciones enteras dedicadas a los juguetes para perros, y algunas de ellas permiten que uno lleve al cachorro para escoger sus propios juguetes. Resulta muy divertido tanto para el perro como para el dueño y una gran oportunidad de sociabilizar al cachorro. No obstante, lo más importante a la

Lo normal es que el cachorro de Yorkie se identifique e integre rápidamente a la familia. Pronto se convertirá en iotro de los niños!

Llegada a casa del cachorro

hora de seleccionar juguetes es la seguridad del perro, incluso cuando el cachorro no está más que probando lo divertido que puede ser cada uno de ellos. Los Yorkies no son mordedores ávidos y por eso no destruirán enseguida sus juguetes. Les gustan los que tienen pitidos, además de que incitan el instinto raticida de la raza. Los de mordisquear les dan grandes oportunidades de desarrollar sus dientes y los huesos de las mandíbulas. Siempre supervise a su cachorro cuando juegue con los juguetes. Y no olvide ponerle en la jaula uno agradable y suave a la hora de dormir.

Más allá de lo básico

Cuando tenga los accesorios básicos en la mano, estará casi completamente preparado para traer el cachorro a casa. Siempre puede visitar el supermercado para mascotas de su localidad para ver qué otras cosas pueden hacerle falta. La industria de mascotas está entre las más inventivas e ingeniosas, y siempre hay cosas nuevas y divertidas que estrenar. También puede de-

cidirse por comprar una o dos barreras para bebés a fin de usarlas dentro de la casa, así como una buena escobilla con recogedor para limpiar las heces del jardín.

Un hogar seguro

Es necesario, asimismo, revisar la casa y librarla de peligros potenciales, antes de traer el cachorro. Comprenda que un cachorro pequeño viene a ser como un párvulo y en toda casa hay riesgos que deben ser eliminados. Es necesario elevar y sacar de la vista todos los cables eléctricos porque son objetos altamente tentadores para morder. Las piscinas y los estanques con peces pueden ser muy peligrosos, así que asegúrese de que su cachorro no pueda entrar o caer dentro del agua. Será necesario construir algunas barricadas a fin de evitar accidentes. No todos los perros pueden nadar o salir del agua. Observe las ventanillas de los guardarropas y considere si el cachorro podrá deslizarse a través de las aberturas.

Si tiene niños pequeños, debe asegurarse de que entiendan

que el cachorrillo es un ser viviente al cual hay que tratar con delicadeza. No pueden tirar de sus orejas, cogerlo y dejarlo caer, ni manejarlo rudamente. Todo esto es responsabilidad suya. Los niños que aprenden a tratar adecuadamente a los animales desde temprana edad pueden convertirse en dueños y amantes compasivos de los mismos para toda la vida. Piense en los lugares donde cualquier chico pueda meterse en problemas ¡y encontrará al cachorro justo detrás de él!

El cachorro lleva a casa

Si tiene que desplazarse a cierta distancia para recoger su mascota, lleve una o dos toallas, un plato, agua, correa y collar. También, bolsas de plástico y un rollo de toallas de papel por si el cachorro hace sus necesidades o se marea.

Cuando el cachorro entre en la casa por primera vez (después de haber hecho sus necesidades fuera), déjelo que explore el nuevo entorno y ofrézcale una comida ligera y un plato con agua. Cuando se canse, llévelo de nuevo afuera y luego póngalo en la jaula, ya sea para que duerma una siesta o, mejor, toda la noche.

Los primeros dos días, el cachorro debe estarse bastante tranquilo. Habrá tenido tiempo de acostumbrarse a su nueva casa, al ambiente y a los miembros de la familia. La primera noche puede que llore un poquito, pero si le pone dentro de la jaula un juguete inofensivo y un pequeño cobertor, sentirá algún calor y se-

Cerciórese de que el entorno adonde va a vivir el cachorro está libre de peligros, tanto fuera como dentro. En el jardín, puede haber plantas venenosas, sustancias de jardinería, estiércol y fertilizantes, todos los cuales son dañinos para los perros.

guridad. Un reloj de tic tac o una radio con música suave también pueden ayudar. Recuerde que él ha sido desarraigado de la compañía de uno o dos hermanos, de su madre y de la familia del criador, y por ello necesita de uno a dos días para acostumbrarse a su nuevo clan. Si llora la primera noche, déjelo, que eventualmente se calmará y se dormirá. A la tercera noche, ya debe haberse adaptado. Tenga paciencia y verá como a la semana, o menos, les parecerá a todos, a usted, a su familia y al cachorro, que llevan años juntos.

La alimentación del cachorro

En realidad, nutrir al cachorro es muy fácil. Las compañías productoras de comidas para perros tienen contratados a muchos científicos y gastan fuertes cantidades investigando para determinar cuál es la dieta más saludable para los perros. El criador debe haber estado alimentándolo con una comida para cachorros de razas pequeñas de primera calidad y usted debería continuar usando la misma marca. Cuando madure, cambiará para una fórmula destinada a los perros adultos, dentro de la misma marca. No añada vitaminas ni otra cosa a la comida, a menos que su veterinario se lo indique. No crea que cocinándole una comida especial conseguirá un producto más nutritivo que el que las compañías productoras de comidas caninas le están proporcionando.

Es probable que el cachorro esté recibiendo tres comidas diarias y a lo mejor hasta cuatro. Cuando empiece a crecer, dele dos comidas diarias, una por la mañana y otra por la tarde. Cuando alcance los ocho meses de edad, puede cambiar a una comida para perros adultos. Revise lo que dice la bolsa

Su cachorro de Yorkie no necesita una gran cantidad de comida, pero sí que sea de óptima calidad.

de alimento para que sepa la cantidad que debe darle según el peso. Al granulado seco es conveniente añadirle un poco de agua, para humedecerlo, y también una o dos cucharadas de alguna comida enlatada para darle sabor.

Algunos Yorkies tienen delicado su sistema digestivo, así que sea consciente de ello cuando alimente a su perro. Evite darle sobras de la mesa, pero ofrézcale una galletita para perros a la hora de dormir. No deje que su Yorkie se ponga gordo, sólo que mantenga cubiertas las costillas. Tenga presente, sin embargo, que mientras más activo es un perro más calorías necesita. Y que siempre debe tener agua fresca a su alcance. Lo ideal es tener un recipiente con agua en la cocina y otro fuera, en el jardín, para cuando se encuentre allí.

LLEGADA A CASA DEL CACHORRO

Resumen

■ Entre las cosas que necesita comprar antes de la llegada de su «nuevo bebé» están las siguientes: comida, platos, jaula, collar, correa, chapita de identidad, equipo de acicalado, cama y, por supuesto, juguetes.

■ La casa debe quedar completamente «a prueba de cachorros», libre de toda amenaza potencial tanto dentro como fuera.

■ Permita que el viaje del cachorro a casa y sus primeros días en ella sean tranquilos, poniendo de su parte para ayudarlo a sentirse cómodo y adaptarse.

■ Siga el consejo del criador en cuanto a la mejor manera de alimentarlo y cuándo es que debe hacer cambios en el programa.

Primeras lecciones

Su cachorro de Yorkie depende de usted para todo, desde el agua y la comida hasta la educación y las buenas costumbres.

Por eso, usted desea conocerlo mejor, y lo hará a medida que lo vaya sociabilizando, enseñándole su nombre y educándolo.

Reglas domésticas

Si desea un perro que se ajuste a las normas del hogar, que llegue a ser un buen compañero, y que todo el mundo disfrute, es muy importante que sociabilice a su cachorro. Sociabilizar al cachorro es algo parecido a cuando traemos un bebé recién nacido a casa. Hay que cogerlo y acariciarlo para que sepa que es deseado y amado. No se debe jugar con él constantemente porque a esa edad necesita tiempo para descansar y dormir. Esfuércese por mantenerlo dentro de un programa y verá qué pronto se acostumbra a

El mundo es enorme para un cachorro tan chico. Como dueño, usted debe ayudarle a adaptarse a su nueva jauría humana y hacerle sentirse en casa.

funcionar de esa manera. Si él sabe que usted se levanta a las 7:00 todas las mañanas y lo saca poco después, esperará por ello en lugar de hacer sus necesidades en la jaula.

Los hábitos, buenos y malos, que se aprenden a temprana edad, se convierten en costumbres vitalicias, de manera que lo mejor es empezar con el pie derecho. No permita que el cachorro mordisquee la pata de la vieja mesa de la cocina porque lo encuentra simpático, ya que porque pronto estará mordisqueando la pata de la mesa cara del comedor. Establezca límites y asegúrese de que el cachorro los respete.

Hasta que no esté adiestrado y haya madurado bastante, confínelo en un área determinada, lo mismo la cocina que un corral. Utilice las barreras para bebés y él aprenderá enseguida que hay áreas de la casa a las que tiene acceso y otras que le están prohibidas. Y, por supuesto, siempre que salga de casa, colóquelo en la jaula porque en esa, «su casa», estará cómodo y dormirá hasta su regreso.

Permita que su cachorro de Yorkie explore un poco el jardín, si está cercado, pero no lo pierda nunca de vista y vea todo lo que hace.

Los juguetes inocuos mantienen ocupado al cachorro a la vez que le enseñan hábitos correctos de mordisqueo.

El nombre

Uno de los factores de peso en el adiestramiento del cachorro es el nombre. Algunas veces pasa una semana o algo así antes de que encontremos un nombre que nos guste para el perro, y otras, ya le hemos puesto nombre antes de traerlo a casa. En sentido general, los nombres cortos, de una o dos sílabas, facilitan el adiestramiento. El mejor nombre de todos es, por supuesto, Raf, porque entonces no serán sólo las personas, sino también los perros ¡los que podrán llamar a su Yorkie por su nombre! Los nombres largos son difíciles para los seres humanos (y también para los perros del vecindario). Imagínese lo que sería llamar a su perra de esta manera: «Genoveva, ¡ven a cenar!», cuando sería más fácil decir: «Comer, Tina».

Los nombres británicos son posiblemente los mejores, propios de la herencia y buena crianza del Yorkie. Harry, George, William, Sara y Geoffrey son buenas opciones. Cualquiera que sea el nombre que usted elija, úselo a menudo y siempre de manera positiva. Nunca para regañar al perro. Tampoco llame nunca al perro para que venga hacia usted y entonces regañarlo.

Juegos de cachorro

El objetivo que debe perseguir en los comienzos del adiestramiento es gustarle a su Yorkie. Por lo general, a los Yorkies les gusta la gente. Una vez que se haya ganado su amor y confianza, entonces el adiestramiento se hace infinitamente más fácil. Haga que el kindergarten de su cachorro sea positivo y divertido.

Los juegos con el cachorro son una fantástica manera de entretenerlo a él y de entretenerse usted mientras, subliminalmente, le está dando lecciones en medio de la diversión. Comience con un plan de juegos y con un bolsillo lleno de atractivas golosinas. Haga que los juegos sean cortos, si demanda más atención de la que puede darle el cachorro, lo agotará.

Atrápame

Este juego ayuda a enseñar la orden de venir. Dos personas

se sientan en el suelo a unos cuatro o cinco metros de distancia una de la otra; una de ellas sostiene y acaricia al cachorro mientras la otra lo llama con voz alegre: «Perrito, perrito, ¡ven!». Cuando él vaya corriendo hacia ella, lo recompensa ambas personas lanzarán a un lado y a otro para que el cachorro lo cobre. Cuando lo haga, hay que elogiarlo y abrazarlo más, ofrecerle una golosina para que suelte el juguete y volverlo a lanzar a la persona número dos. Se repite, igual que antes.

Si crea un lazo con el Yorkie desde que es cachorro, crecerá siendo un amigo y compañero ferviente y amoroso.

con grandes abrazos y le ofrece una jugosa golosina. El juego se repite varias veces más, mientras las personas se alternan en cuanto a quién lo aguanta y quién lo llama, pero... sin excederse.

Se puede enriquecer el juego con una pelota o un juguete que

Las escondidas

Éste es otro juego que enseña la orden de venir. Juéguelo fuera de la casa, en el patio, o en alguna otra área cerrada y segura. Cuando el cachorro esté distraido, ocúltese detrás de un arbusto. Atísbelo, para que pueda saber cuándo es que él se percata de que usted no está y regresa corriendo para encontrarle (créame, es lo que hará). Tan pronto como se acerque, salga del escondite, agáchese con los brazos extendidos y llámelo: «Perrito, ¡ven!». Este juego es también un recurso importante para relacionarle con su cachorro y enseñarle que depende de usted.

¿Dónde está el juguete?

Comience por colocar uno de los juguetes favoritos del cachorro a la vista. Pregúntele: «¿Dónde está tu juguete?» y dé-

jelo que lo coja. Repita la misma operación varias veces. Entonces llévese el cachorro fuera de la habitación, donde no corra ningún riesgo, y coloque el juguete de manera que sólo sea visible una parte de él. Traiga de vuelta al cachorro y hágale la misma pregunta. Alábelo efusivamente cuando lo encuentre. Repita lo mismo varias veces. Finalmente, esconda el juguete completamente y deje que el cachorro olfatee. Confíe en su olfato... él encontrará el juguete. A los cachorros de Yorkie les encanta divertirse con su familia.

Con el equipaje hecho y listo para partir. Haga de la cesta de viaje del Yorkie un lugar cómodo poniendo dentro un cojín para jaulas y uno o dos de sus juguetes favoritos.

Los juegos son excelentes auxiliares pedagógicos y una de las mejores maneras de decirle al cachorro: «Te quiero».

Conduciendo

Desde pequeño, debe acostumbrar a su perro a montar en coche. A la mayoría les encanta pasear en automóvil, tanto que, si se les diera la oportunidad, ¡tomarían el volante! Enseñe al suyo cómo comportarse dentro del coche: que no vaya sobre el regazo del conductor, que no corra todo el tiempo de una ventanilla a otra, y que no mordisquee los apoyabrazos.

Es también muy importante recordar que no debemos llevar al perro y dejarlo solo siquiera unos cuantos minutos dentro del coche. Los automóviles pueden calentarse muy rápidamente y el perro puede no resistir el calor.

Ya que compró esa bonita y brillante jaula de alambre, le será muy fácil colocarla en el asiento trasero del coche. La manera más segura que tiene el Yorkie de viajar en automóvil es dentro de su jaula. Aún cuando el suyo prefiera sentarse en su regazo o atisbar por la ventanilla trasera, la opción más segura es la jaula.

PRIMERAS LECCIONES

Resumen

■ La sociabilización y la educación sobre las reglas de la casa comienzan enseguida. Esto hará del cachorro un perro confiado y de buenos modales, con el cual es un placer convivir.

■ Elija un nombre para el cachorro y úselo a menudo para que aprenda que cuando usted lo pronuncia se está dirigiendo a él.

■ Los juegos con el cachorro le ayudarán a establecer un lazo afectivo mutuo, y él se irá familiarizando con las órdenes a medida que se divierte.

■ Es importante que los perros viajen seguros; la mejor manera de llevarlos en el coche es dentro de la jaula.

Educación inicial

Al Yorkie hay que educarle para que sepa comportarse dentro de la casa, y esta tarea comienza en el mismo momento en que traemos el cachorro a nuestro hogar.

No piense que, porque es pequeño, puede demorar la tarea de enseñarle dónde y cuándo hacer sus necesidades fisiológicas.

Cada vez que su cachorro se despierte después de una siesta, debe sacarlo rápidamente afuera. Obsérvelo, y cuando orine o defeque elógielo diciéndole: «!Muy bien!» Dele unas palmaditas en la cabeza y éntrelo de nuevo. Puede que él tenga algunos «accidentes», pero con un oportuno «No» de su parte, pronto aprenderá que es mejor hacerlo fuera que en el suelo de la cocina y recibir un regaño.

Pronto conocerá los hábitos de su perro. Pero, en las siguientes ocasiones, es esencial que lo saque fuera: cuando se despierte por la mañana, después de las comidas, antes de ir a dormir

Debe comenzar la educación doméstica del Yorkie el mismo día de su llegada a la casa. Los perros son criaturas de hábitos, así que no le conceda algunos días de licencia porque creará el hábito de «hacerlo» donde le parezca.

por la noche, y después de siestas largas. Cuando madure, probablemente no tenga que salir más de tres o cuatro veces al día. Algunos perros van hacia la puerta y se ponen a ladrar cuando desean que los saquen, y otros giran nerviosamente en círculos. Observe y aprenda las señales.

En el caso de los perros pequeños, como el Yorkie, el adiestramiento con papel es una opción viable, aunque hay muchos criadores que consideran que la jaula es la vía más confiable para educar a un perro en lo referente a sus necesidades fisiológicas.

Las jaulas para perros ayudan mucho en su educación doméstica porque a la mayoría de ellos no les gusta ensuciar sus zonas de residencia. Ciertos criadores experimentados insisten en que los cachorros sigan usando la jaula en sus nuevos hogares, y algunos incluso los adiestran para permanecer en sus jaulas, antes de que se vayan. Pero lo más probable es que su cachorro no haya visto nunca una jaula, de modo que queda en sus manos hacer que su primera experiencia sea agradable.

Ponga al cachorro en contacto con la jaula tan pronto como llegue a la casa para que aprenda que ése es su nuevo «hogar». Esto se logra mejor con la ayuda de golosinas. Durante el primero o los dos primeros días, incítelo a entrar arrojando dentro de la jaula diminutas golosinas. Diga

Las personas que no tengan patio tendrán que sacar a sus Yorkies para que hagan sus necesidades.
Si se trata de un perro adulto, sólo habrá que sacarlo tres o cuatro veces al día. ¡No se olvide de recoger las heces!

la palabra: «Jaula» cada vez que quiera que entre en ella. También puede darle sus primeras comidas dentro de la jaula, con la puerta abierta, así la asociará con una experiencia agradable.

Por la noche, ponga al Yorkie dentro de la jaula y cierre la puerta. Dormirá allí toda la noche y mantendrá a raya la vejiga hasta que despierte. Bueno, generalmente, pero dele un margen. El cachorro debe dormir en la jaula desde la primera noche... no empiece en la segunda o tercera noches (a menos que no haya leído este párrafo hasta la tercera noche).

Si el cachorro llora cuando usted cierra la puerta de la jaula, ¡no lo saque! La primera lección que reciba no debe ser: «Si lloro, me sacan». Si usted carece de firmeza (y probablemente así sea), puede colocar la jaula cerca de su cama para que el cachorro lo vea, pero no duerma usted cerca de la jaula. Su presencia lo confortará y usted también podrá saber si él necesita salir a hacer sus necesidades a medianoche. Haga lo que haga, no encarame el cachorro en la cama. Desde el punto de vista canino, dos que duermen en la misma cama son iguales, y no es aconsejable que el perro piense eso desde tan temprano cuando de lo que se trata es de que usted se establezca como el líder de la «manada».

Durante el día, practique colocando al cachorro dentro de la jaula para que duerma sus siestas, cada vez que usted salga de la casa, y un rato ahora y otro después mientras está usted en sus faenas y no puede supervisarlo estrechamente. No se preocupe... él le hará saber cuándo se despierta y necesita hacer sus necesidades. Si se queda dormido debajo de la mesa y se despierta cuando usted no está por allí, adivine que es lo primero que hará: un charco, y luego caminará sobre él para decirle: «!Hola!»

Para hacer efectiva la educación doméstica, usted tiene que estar más al tanto de las necesidades fisiológicas del cachorro que él mismo. Los perros son criaturas de hábitos, por eso no es tan difícil predecir cuándo van a desahogarse. Rutina, constancia y ojo de águila son la clave para tener éxito en la educación doméstica. He aquí el itinerario básico: los cachorros siempre «lo hacen» cuando se despiertan (rápido, ¡es ahora mismo!), pocos minutos después de comer, después de jugar y después de breves periodos de confinamiento. La mayoría de los cachorros menores de tres meses necesitan desahogarse por lo menos cada hora, o sea, alrededor de 10 veces al día.

Lleve siempre el cachorro a la misma área y, mientras salen, dígale: «Fuera». Elija una palabra para darle la orden de desahogarse («Apúrate», «Popó» o «Dale, hazlo», se usan mucho) y úsela cuando él esté haciendo sus necesidades, al mismo tiempo que lo alaba con un «¡Muy bien!» Use siempre la misma puerta para llevarlo fuera y, si lo confina, que sea en un área aledaña a la salida para que pueda encontrarla cuando sienta la necesidad. Esté al tanto de las señales que expresan la urgencia de desahogarse, como olfatear, girar en círculos, etc. No le permita deambular por la casa hasta que esté completamente educado pues, ¿cómo va a encontrar la puerta de salida si tiene que atravesar primero dos o tres habitaciones?

Claro, habrá accidentes. Todos los cachorros los tienen. Si lo atrapa en el acto, palmotee ruidosamente diciendo: «¡Nooooo!» y encamínelo hacia fuera. Su voz deberá alarmarlo y hacerlo detenerse. No se olvide de alabarlo cuando termine de hacer sus necesidades en el exterior.

Una linda camita para perros es un accesorio precioso en el cual su Yorkie puede acurrucarse, pero no sustituye a la jaula. Esta última ofrece múltiples beneficios, no sólo seguridad sino que también ayuda en el adiestramiento, de ahí que sea una herramienta muy recomendada en la mayoría de las razas.

Si descubre un charco en el suelo... más de tres o cuatro segundos después... llegó demasiado tarde. Los cachorros sólo tienen conciencia del momento presente, por eso no son capaces de comprender un correctivo aplicado más de cinco segundos después de ocurridos los hechos. Los regaños a destiempo sólo le causan miedo y confusión aunque alivien la frustración del dueño. Así que olvídelo y prométase estar más vigilante.

A pesar de sus numerosos beneficios, no puede abusarse de la jaula. Los cachorros menores de tres meses de edad no deben permanecer dentro de ella por más de dos horas cada vez, a menos, claro, que estén durmiendo. Una regla general dice que tres horas es lo máximo para un cachorro de tres meses, de cuatro a cinco para uno de cuatro o cinco meses, y no más de seis horas para perros de más de seis meses de edad. Si usted no puede estar en casa para soltar al perro, póngase de acuerdo con un pariente, vecino o con un cuidador de perros para que le deje salir a desahogarse y hacer un poco de ejercicio.

Por último, pero no por ello menos importante, he aquí una regla básica para el uso de la jaula: nunca, nunca, la use para castigar al perro. El éxito del adiestramiento usando jaula depende de que el cachorro la identifique positivamente como su «casa». Si la jaula representa castigo o «algo malo» se resistirá a usarla como su lugar de protección. Claro que usted puede colocarlo en ella después de que haya volcado el bote de basura, para poder limpiar. Pero no lo haga con una actitud iracunda o diciéndole: «¡A la jaula, perro malo!»

Si no se siente capaz de usar la jaula con su Yorkie, o prefiere enseñarle a hacer sus necesidades sobre papel, la rutina es básicamente la misma. Designe un lugar para ello, fuera de la circulación (¿frente a la puerta trasera?) y cubra el suelo con papel de periódico. Lleve al cachorro allí de acuerdo con un programa. Use la palabra escogida para hacer las necesidades, y elógielo cuando las haga sobre el papel. No use esa área para ninguna otra cosa excepto para que el perro haga sus necesidades, y manténgala limpia. Puede colocar en el suelo un pequeño trozo de papel ya usado para recordarle al cachorro lo que hace allí. Su olfato le dirá qué hacer.

Si no se siente capaz de usar la jaula, ¿qué podrá hacer con el cachorro cuando no esté en casa? Limítelo a una sola habitación con la ayuda de barreras para bebés o para perros. Elimine de esa habitación todo lo que él pueda morder o dañar, o aquello con lo cual pueda hacerse daño. Sin embargo, aun en lugares libres de objetos, hay cachorros que si se aburren muerden las paredes o los tabiques. Un corral para ejercicios de un metro y medio cuadrado (disponible en las tiendas para mascotas), lo suficientemente fuerte como para que el cachorro no pueda derribarlo, le proporcionará un confinamiento seguro durante periodos cortos de tiempo. Coloque papel en un rincón del corral para que haga sus necesidades y, si le parece, un cobertor en la otra esquina para que duerma sus siestas. Cuando lo deje solo, proporciónele inocuos juguetes para morder de manera que se quede feliz en el corral.

No se educa a un perro de la noche a la mañana. Sea paciente y recuerde que el éxito de la educación doméstica radica en la constancia y la repetición. Mantenga un programa estricto y use sus palabras clave coherentemente. Los dueños bien entrenados tienen cachorros bien entrenados... y casas limpias ¡que huelen bien!

EDUCACIÓN INICIAL

Resumen

■ Desde el primer día hay que enseñar al cachorro los adecuados hábitos higiénicos.

■ Aprenda a usar correctamente la jaula: es el más útil instrumento para la educación doméstica del Yorkie, para su protección y cuidados generales.

■ Procure que el perro asocie la jaula sólo con experiencias positivas.

■ Saque al cachorro a menudo y alábelo si «lo hace» en el lugar adecuado.

■ Regañarlo por haber hecho sus necesidades fuera de lugar sólo será efectivo si lo sorprende en el acto.

■ La coherencia es la clave para enseñar al perro a adoptar una determinada rutina en cuanto a sus hábitos de desahogo.

Las órdenes básicas

La sociabilización del cachorro debió haber comenzado antes de que usted lo trajera a casa.

Por tanto, es de esperar que esté acostumbrado a la familia y los extraños, y que no lo alteren los ruidos más comunes, caseros y externos. Es muy importante la sociabilización del cachorro, por eso los buenos criadores la practican con sus camadas. Es muy bueno si el criador tiene niños porque así los cachorros pueden conocer gente joven.

Deje que su Yorkie conozca a los vecinos y que juegue durante algunos minutos. Llévelo a dar cortos paseos por lugares públicos donde vea gente y otros perros y donde escuche sonidos extraños. No obstante, vigile a los otros perros, porque no siempre son amistosos. Mantenga al suyo con la correa puesta para que tenga control sobre él, así conseguirá tenerlo seguro y que se comporte edu-

Su adiestrado Yorkie será un compañero bien educado con el cual le encantará compartir su tiempo.

cadamente con las personas que vayan encontrando a su paso.

Es una ventaja tener un perro bien educado; si logramos que aprenda algunas órdenes básicas será un mejor ciudadano. Uno de los miembros de la familia debería asistir a un kindergarten para cachorros,que es la base de todos los entrenamientos futuros. En estos cursillos, que duran cerca de dos meses, se aceptan cachorros de entre dos y cinco meses de edad. Allí se aprende lo básico: a sentarse, a caminar junto al tobillo izquierdo, a tumbarse, y a venir cuando se les llama. Cada orden tiene sus propias ventajas. El «siéntate» y el «camina» son una gran ayuda durante los paseos. ¿A quién le conviene tener un cachorro caminándole entre las piernas, tirando hacia delante o rezagándose, es decir, actuando como un tonto? Intente conseguir que su perro camine a su lado izquierdo como un caballero o una dama, y que se siente mientras esperan para cruzar la calle. El llamado es muy importante si el perro se le escapa del patio o si rompe la

El Yorkie sólo necesita un collar y una correa ligera; las correas muy finas, como la de la foto, sólo se usan para exposiciones y no para el entrenamiento.

Las órdenes tienen muchos usos prácticos; por ejemplo, cuando se necesita que el Yorkie se quede acostado en la mesa de acicalado.

Las órdenes básicas

correa y usted necesita que regrese.

Esto no es más que una síntesis de las órdenes. Si asiste al cursillo para cachorros o a uno de adiestramiento en obediencia, las aprenderá con ayuda profesional. Aun así, usted y su perro pueden aprender los ejercicios más elementales por su cuenta.

La orden de siéntate

Debe comenzar con este ejercicio. Coloque al perro a su lado izquierdo mientras usted se encuentra de pie y dice con voz firme: «Siéntate». Mientras, apoye su mano sobre el dorso del perro y suavemente empújelo

Puede que necesite dar al Yorkie un suave empujoncito para ayudarlo a asumir la posición de sentado, pero no pasará mucho tiempo antes de que él capte la idea.

hacia la posición de sentado. Elógielo, déjelo unos minutos en esta posición, retire la mano, elógielo de nuevo y ofrézcale una golosina. Repita este ejercicio varias veces al día, puede ser hasta diez veces, y verá cómo pronto su cachorro entiende lo que usted desea.

La orden de quieto

Enseñe a su perro a quedarse en la posición de sentado hasta que usted lo llame. Haga que se siente, y mientras le dice «Quieto», póngale la mano delante de la trufa y aléjese de él uno o dos pasos, no más, al principio. Después de 10 segundos o algo así, llámelo. Si se levanta antes de que usted le dé la orden, haga que se siente otra vez y repita la orden de quieto. Cuando se quede sentado hasta que usted le llame (recuerde que al principio el lapso debe ser muy corto), elógielo y ofrézcale una golosina. A medida que vaya aprendiendo la orden, incremente el espacio que lo separa de él y también el tiempo durante el cual debe permanecer quieto.

La orden de venir

A su Yorkie le encantará venir cuando le llame. La idea es invitarle a regresar a usted ofreciéndole una golosina y elogiándole mucho cuando lo haga. Es importante enseñarle la orden de venir porque ella garantizará que obedezca en caso de peligro o cuando está fuera de su vista.

Al igual que cuando practique las otras órdenes, haga que el ejercicio de venir sea agradable y divertido. Aquí usaremos el entrenamiento positivo. Ningún perro, especialmente el brillante Yorkie, vendrá hacia la persona que lo llama, si no le *suena* alegre. Los perros responden a la alegría, a las palmadas, a los sonidos altos, al júbilo que sienten las personas al verlos. Use estos recursos cuando le enseñe el ejercicio de «ven». Su Yorkie deberá pensar en todo momento que acudir al ser llamado produce cosas buenas, nunca castigo o regaño.

La orden de camina

Coloque el perro a su izquierda con la correa puesta, y enséñele a caminar con usted.

Para enseñar al Yorkie a quedarse quieto, haga con su mano una señal de alto mientras le da la orden verbal de «Quieto».

Si empuja hacia delante, dele un rápido tirón a la correa y diga firmemente «NO». Entonces continúe caminando, elogiándolo cada vez que camina disciplinadamente a su lado y haciendo restallar la correa cada vez que tire de ella mientras le dice «no». Él pronto aprenderá que es más fácil y agradable caminar a su lado. Nunca le permita embestir a las personas que pasan por su lado.

La orden de échate

Probablemente, ésta sea la más complicada de enseñar de las cinco órdenes básicas, porque la posición de echado es una posición de sumisión.

Coloque a su perro en la posición de sentado y arrodíllese

cerca de él, póngale la mano derecha bajo las patas delanteras y la mano izquierda sobre la cruz. Mientras le dice «échate», empuje suavemente las patas delanteras del perro hacia la posición de echado. Una vez que haya asumido la posición, háblele con cariño, acaríciele el dorso para que se sienta cómodo y elógielo. Como el Yorkie es tan pequeño, puede que prefiera empezar a enseñarle la orden de echado en su propio regazo, o en el sofá, antes de intentarlo en el suelo.

Más órdenes útiles

«Fuera» es una orden importante porque el saltarín Yorkie llegará a ser tan inquieto como

El ejercicio de echado es un desafío para todos los dueños de perros porque ninguno asume gustosamente esta posición. Lo mejor es ir enseñándolo con suavidad, con mucha tranquilidad y, por supuesto, con golosinas.

para vaciar el plato de caramelos que usted dejó sobre la mesilla del café, o saltar sobre el nuevo y caro sofá. Dígale: «Fuera, Meñique» y hágalo salir de allí. Los perros son listos, y el Yorkie más, así que pronto aprenderá lo que significa «Fuera».

Otra orden útil es «A la jaula» o «A descansar», para indicar al perro que debe irse a la jaula. Junto con esta orden puede enseñarle: «¡A dormir!», para la hora del sueño nocturno. No confunda las dos órdenes diciéndole «A dormir» cuando usted va a salir sólo al supermercado y estará de vuelta en una hora. Los perros pronto aprenden que «A dormir» significa una golosina y dormir toda la noche. «A la jaula» o «A descansar» significa que usted regresará en pocas horas. Y, por supuesto, la orden más elemental de todas, que el perro aprende muy rápido es «No». Dígalo firmemente y con convicción. Así, aprenderá que esa palabra significa mantenerse alejado del asunto, que no haga lo que está pensando, o que ni siquiera piense en ello.

Algunos consejos más

Al dar todas las órdenes debe ser justo (no le diga que se siente cuando ya está sentado), coherente (no le permita subirse al sofá unas veces sí y otras no), y firme. Firme no quiere decir rudo. Sea positivo y gentil con su diminuto perro. Después que haga lo que usted desea, acaríciele la cabeza y alábelo: «!Muy bien!» Si ha alcanzado un gran éxito ofrézcale, junto con el elogio, una golosina.

Una gran parte del adiestramiento es paciencia, persistencia y rutina. Enséñele cada una de las órdenes siempre de la misma manera, no pierda la paciencia con él (no lo entenderá), y prémielo siempre que ejecute correctamente las órdenes. Los cachorros de Yorkie aprenden muy rápido. Tanto usted como sus invitados agradecerán que el perro esté bien educado.

LAS ÓRDENES BÁSICAS

Resumen

■ Ojalá que el criador haya comenzado temprano la sociabilización de todos los cachorros de la camada. Usted continuará con el suyo lo que él haya comenzado, le presentará nuevas personas, animales, sonidos y escenarios.

■ Valore matricular al cachorro en un cursillo de adiestramiento, no sólo le servirá para educarlo sino también para sociabilizarlo.

■ Las órdenes básicas incluyen el sentado, el quieto, venir, caminar y echarse. Las órdenes de «Fuera», «No» y aquellas que se usan para ordenar al cachorro que vaya a su jaula son también palabras importantes que el perro debería entender.

■ ¡Paciencia, persistencia, positivismo y práctica! ¡Recuerde todas las «Pes» del adiestramiento!

Cuidados domésticos

Cuidar de un perro pequeño es una gran responsabilidad.

Aunque el Yorkshire Terrier es fuerte y sano, no pesa más de dos kilos. Téngalo presente porque debido a su diminuto tamaño puede sufrir, en simples accidentes cotidianos, daños mayores que otros perros más grandes, como el Labrador Retriever. Fíjese dónde se sienta, dónde pisa y dónde pone las cosas, y así eliminará muchos de estos accidentes.

Cuando su perro ya sea adulto, y si está bien, sólo necesitará hacer una visita anual a la clínica veterinaria para someterse a un reconocimiento general y para que le sean reactivadas las vacunas. No podrá faltar, entonces, el examen dental integral, para comprobar la salud de sus dientes, encías y boca.

Los dientes merecen atención sistemática por parte del dueño. No recomiendo que las personas sin preparación usen

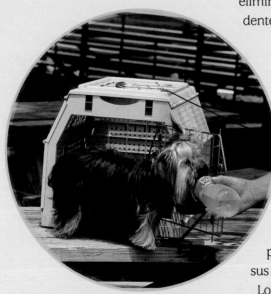

Es importante que el Yorkie se mantenga todo el tiempo hidratado, así que no olvide llevar agua adonde quiera que viaje con él.

el raspador dental porque, si no saben, pueden herir al perro. Lo que todo dueño puede hacer es cepillar los dientes de su Yorkie con un cepillo y pasta dental caninos (no humanos) y dejar que el veterinario haga el raspado. Darle una golosina canina todas las noches antes de dormir que le sirva para roer, ayudará a eliminar el sarro.

Exprimir las glándulas anales no es la más atractiva de las tareas, aparte del olor desagradable. Si lo prefiere, el veterinario puede hacerlo por usted durante la visita anual a la clínica. De vez en cuando, estas glándulas se congestionan y es necesario que el veterinario las limpie.

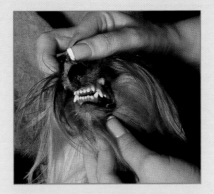

El cuidado dental es uno de los componentes más importantes del cuidado casero del Yorkie. Es importante para todos los perros, pero aún más para las razas miniatura porque tienden a padecer problemas dentales.

Su veterinario puede hacer un raspado completo de la dentadura del Yorkie aprovechando la visita anual a la clínica.

Cómo reconocer los síntomas

A estas alturas usted ya conoce bien a su perro, sabe cuánto come y cuánto duerme, y cuán rudo es al jugar. Como ocurre también con nosotros, los seres humanos, puede que alguna vez rechace la comida o parezca estar enfermo. Si ha tenido náuseas y/o diarreas por

24 o 36 horas o si ha estado bebiendo demasiada agua durante los últimos cinco o seis días, es necesario llevarlo al veterinario. Concierte una cita y explique a la recepcionista el motivo por el cual desea llevar su perro a la consulta.

El veterinario le hará las siguientes preguntas:

- ¿Cuándo hizo su última comida normal?
- ¿Por cuánto tiempo ha tenido diarrea o vómitos?
- ¿Ha comido algo en las últimas 24 horas?
- ¿Pudo haberse comido un juguete, un trozo de tela o cualquier otra cosa poco usual?
- ¿Está bebiendo más agua de lo habitual?

El veterinario lo examinará, le tomará la temperatura y el pulso, lo auscultará, le explorará el abdomen para comprobar si hay algún bulto en el estómago, comprobará el color de sus encías y observará sus ojos y orejas. Probablemente, le hará también algunos análisis de sangre.

Al final del reconocimiento, le dará su diagnóstico y le recomendará un tratamiento. Puede que le recete algunos antibióticos y le permita llevarse el perro a casa, que le tome algunas radiografías, o que decida mantenerlo en observación por una noche.

Si sigue las instrucciones del veterinario verá como es casi seguro que su perro volverá a la normalidad en uno o dos días. Mientras tanto, aliméntelo con comidas ligeras y manténgalo tranquilo, quizá confinado en su jaula.

Plagas que acosan a nuestros perros

Los parásitos pueden constituir un problema y hay algunos de ellos ante los cuales debe estar alerta. Las filarias pueden resultar mortales y se les encuentra con mayor probabilidad en unas regiones del país que en otras. Las filarias o gusanos del corazón se multiplican mucho y llegan a envolver el corazón del perro. Si el animal no recibe tratamiento, eventualmente morirá. Cuando llegue la primavera pregunte a su veterinario si el perro debe ser sometido a análisis para detectar la presencia de filarias. Si le dice que sí, llévelo a la clínica, donde le harán el análisis correspondiente para saber si tiene o no el parásito. El veterinario le administrará un medicamento preventivo. Esto es importante, especialmente si usted vive en zonas donde proliferan los mosquitos.

Las pulgas son también un problema, pero especialmente en las regiones más cálidas del país. Puede adquirir un talco o un collar antipulga en la tienda para mascotas o preguntar a su veterinario qué le aconseja utilizar. Hay muchos tratamientos efectivos contra las pulgas, garrapatas y otras plagas. Si sospecha que su perro tiene pulgas, acuéstelo de lado, separe el pelo de la piel y observe si hay bichitos saltando, brincando o deslizándose por dentro del pelaje.

Las garrapatas son más frecuentes en las áreas boscosas y con hierba. Las garrapatas son pequeñas (al principio) y oscuras, y les gusta aferrarse a las partes más cálidas de las orejas, axilas, pliegues faciales, etc. Mientras más tiempo per-

Puede haber insectos y elementos alergenos escondidos entre las flores, irritantes para el perro. El largo pelaje del Yorkie puede enmascarar este tipo de problemas así que habitúese a revisarle la piel y el pelo, regularmente.

manecen en el perro más crecen, porque se alimentan de su sangre, hasta que llegan a alcanzar el tamaño de una moneda pequeña. Tome sus pinzas y extraiga cuidadosamente las garrapatas asegurándose de no dejar las tenacillas del parásito en la piel del perro.

Cuidados domésticos

Inmediatamente arrójelas por el retrete y descargue, o encienda un fósforo y aniquílelas. Coloque alcohol sobre la herida y úntele ungüento antibiótico. Al encarar este tipo de problemas, deje que sean el sentido común y un buen veterinario los que lo guíen.

Control de peso

El Yorkie adulto debe alimentarse con una comida formulada para razas pequeñas. Es esencial mantenerlo dentro de su peso porque, en el caso del Yorkie, unos pocos gramos ¡cuentan! La obesidad es una gran asesina de perros. Si a su Yorkie no se le ve la cintura, redúzcale la ración de comida y las golosinas. Evite darle sobras de la mesa; no sólo porque le puede doler el estómago, sino porque algunas comidas humanas como el chocolate, las cebollas, las uvas, las pasas y algunas nueces, son tóxicas para los perros. Anime a ese Yorkie que parece un saquito de patatas a ser más activo. El peso apropiado favorece la longevidad y la calidad de vida de su precioso compañero. ¿Necesita razón más poderosa?

Primeros auxilios

En los hogares donde hay mascotas debe existir un botiquín de primeros auxilios. Usted puede conservar todos los artículos a mano, dentro de una caja, junto con el teléfono de emergencias veterinarias. Muchos de estos artículos podrá comprarlos a un precio razonable en la farmacia local. He aquí algunos de los más necesarios:

- Algodoncillos.
- Alcohol para limpiar heridas.
- Ungüentos antibióticos para curar las heridas.
- Limpiadores oculares para cuando su perro tenga algo en los ojos o simplemente para cuando necesite limpiárselos.
- Pinzas para extraer garrapatas, espinas y astillas.
- Polvo estíptico para detener la sangre cuando le recorte demasiado una uña.
- Triple-antibiótico en crema.
- Ácido bórico (para humedecer los pies, no para los ojos).
- Termómetro rectal.

■ Calceta de nylon para usarla como bozal en el caso de que su mascota resulte malherida.

Los accidentes ocurren, y si tiene que hacer frente a uno, debe permanecer sereno, calmado y sosegado dentro de lo que permitan las circunstancias. Asimismo, debería familiarizarse con las situaciones y síntomas de emergencia, así como con las técnicas de primeros auxilios caninos. Usted estará deseoso de ayudar a su Yorkie mientras contacta con el veterinario y escucha sus recomendaciones. Averigüe si el club de raza o la sociedad humanitaria locales ofrecen seminarios de primeros auxilios caninos, pues resultan muy útiles e informativos para los dueños de perros.

CUIDADOS DOMÉSTICOS

Resumen

■ Las razas diminutas son una enorme responsabilidad. Aunque el Yorkie es fuerte para su talla, no deja de ser una criatura delicada a la que hay que tratar con cuidado.

■ En las razas pequeñas es importante el cuidado de la dentadura porque son propensas a padecer problemas de ese tipo.

■ Conozca bien a su perro, su conducta y rutina. Cualquier desviación puede indicar un problema de salud que requiere atención veterinaria.

■ Sea diligente en el control de los parásitos internos y externos.

■ Tenga un botiquín de primeros auxilios caninos bien equipado, infórmese sobre sus procedimientos y sobre los síntomas básicos.

Acicalado del Yorkshire Terrier

Antes de adquirir un Yorkie, debe entender que el pelaje de esta raza necesita mantenimiento, no importa si se trata de un perro de exposición o de una mascota hogareña.

Compárelo con su propio hijo, tendrá que bañarlo, peinarlo y ponerle ropas limpias. El resultado será un niño oloroso y bonito cuya compañía le resultará placentera. Lo mismo pasa con el perro: si lo mantiene cepillado, limpio y arreglado, sentirá gusto al estar en su compañía. Pero esto demanda esfuerzo.

Dentro de su pequeñez, el Yorkshire Terrier es una raza de pelo muy largo y profuso, que necesita atención cuando menos semanal. Si planifica exhibir a su perro, sacará ventaja adquiriendo el cachorro de un criador que acicale y exhiba a sus propios perros. Si éste es el caso, él será la persona indicada para enseñarle cómo preparar al perro para la exposición. El acica-

El dueño ideal del Yorkie es esa persona que disfruta acicalando a su perro para que luzca lo mejor posible.

lado para exposiciones es un arte, y un arte no se aprende en algunos meses. Además, es muy difícil, aunque no imposible, aprenderlo de un libro.

He aquí los utensilios que necesitará si está en disposición de hacer usted mismo el acicalado de su perro:

Como usted y su Yorkie pasarán tanto tiempo juntos durante las sesiones de acicalado, lo mejor es acostumbrarlo al proceso lo antes posible.

1. Una mesa de acicalado, o sea, algo fuerte, cubierto por una estera de goma y con un brazo o perchero (también puede colocar una mesa en la habitación del lavado, y un gancho en el techo para sostener la correa). Así su perro se sentirá cómodo mientras está inmovilizado y usted tendrá las manos libres para trabajar en el pelo y cortarle las uñas sin grandes dificultades. El acicalado es una tarea difícil y agobiante si intenta hacerla sin la mesa de acicalado y el brazo auxiliar.

2. Un peine de dientes finos y otro de dientes separados, un cepillo de cerdas naturales, un par de tijeras bien afiladas y un cortaúñas.

3. Champú y acondicionador.

Aunque la mesa de acicalado es un imperativo para llevar adelante una sesión completa de arreglo, puede retocar un poco al perro, mientras lo tiene en su regazo, cuando ya esté acostumbrado a que lo cepillen.

Coloque al perro sobre la mesa y póngale la correa alrededor del cuello, justo detrás de las orejas; procure que quede tirante cuando la ate al anillo del brazo. No se separe de él ni le deje solo porque puede saltar de la mesa y quedarse colgando de la correa con las patas al aire, situación muy peligrosa. Si su perro es cooperador, puede dejar que se acueste de lado sobre la

la cola hacia arriba en dirección a la punta. Cepille los flecos de las patas hacia arriba, o sea, hacia el cuerpo, y el pelo del pecho hacia abajo, en dirección a la mesa. Levante suavemente al perro sosteniendo sus dos patas delanteras y cepille con suavidad el pelo del estómago, primero en dirección a la cabeza y luego hacia atrás. Con propósitos higiénicos, puede tomar las tijeras y recortar el pelo del área que rodea al pene, si es macho, y a la vulva, si es hembra.

Ahora que su perro está bien cepillado, tome el peine metálico y péinelo. El pelaje del Yorkie va partido a la mitad y cae a ambos lados del cuerpo.

El acondicionador es útil para desenredar, pero también se aplica antes de enrollar el pelo para darle ese brillo sano y bello.

El empaquetado del manto sólo deben hacerlo aquellos que conocen el procedimiento; de lo contrario, pueden dañar el pelo.

mesa mientras usted hace parte del acicalado. Tome el cepillo y cepille completamente el pelaje.

Cepille las patillas y bigotes en dirección a la trufa, el pelo del cuerpo hacia la cola, y el de

Puede que encuentre algunos nudos pequeños, que puede desenredar con sus propios dedos o con ayuda del peine. Si cepilla al perro por lo menos una vez por semana, no tendrá muchos problemas con los nudos. Una vez que el pelaje esté completamente cepillado y peinado, puede tomar las tijeras y emparejarlo al nivel del suelo, al nivel de la rodilla del perro, o al nivel que desee.

Cuando termine, coloque al Yorkie en el lavadero y báñelo, utilizando primero el champú y luego el acondicionador. Después que lo haya secado, proceso durante el cual deberá haberlo ido cepillando, peine el pelaje una vez más. Tendrá entonces un perro muy limpio que lucirá ¡maravillosamente bien!

Para hacerle el corte de mascota, va a necesitar una maquinilla eléctrica con una cuchilla n°. 8 (mediana), un par de tijeras y un cepillo. Procure que un peluquero canino o un criador le muestre cómo se hace el corte de mascota antes de que usted consiga ¡hacerse un lío con

ARRIBA: A los perros de exposición se les empaqueta el pelo frecuentemente, tal cual se muestra en la ilustración, para promover su crecimiento. ABAJO: Se les puede poner una «chaqueta» especial para proteger el empaquetado, sobre todo cuando los perros salen al exterior.

el manto de su Yorkie! Básicamente, se recorta el pelo azul del cuerpo con las tijeras, entonces se rebaja el cuello y el pecho, luego las extremidades posteriores (desde la cola hasta debajo del corvejón), dejando el pelo delantero de las patas traseras. Se recorta el pelo de color fuego (o cobre) de la parte baja del cuerpo (dejando el pelo más largo hacia la parte delantera). También se recorta el pelo alrededor de los pies. En la cara, se corta el flequillo con las tijeras, el pelo de alrededor de las orejas y luego, por capas, el que rodea la cara. Puede dejarle los flecos faciales completos y coronar la cabeza con un lazo.

Se puede formar el copete en la cabeza del Yorkie cuando el cachorro ya tiene cinco o seis

El peine metálico garantiza que el pelaje quede libre de nudos y enredos.

Una vez que se divide el largo pelo de la cabeza y se erige el copete, se empaqueta para salvaguardar la longitud de los flecos.

meses de edad y los flecos de la cabeza son suficientemente largos. Con la ayuda de un peine, separe una sección de pelo sobre los ojos y cerca de las comisuras externas de los ojos y átela con una hebilla o con una liga. Cualquier criador experimentado puede mostrarle cómo hacerlo correctamente. El copete luce muy bien atándole un lindo lazo rojo.

Si tiene problemas con el acicalado, puede llevar su perro a un peluquero profesional la primera o las dos primeras veces. Él fijará el patrón y usted sólo tendrá que seguirlo cuando quiera dar al Yorkie la apariencia correcta. Claro que puede

El peine metálico garantiza que el pelaje quede libre de nudos y enredos.

dejar que el acicalado lo haga el peluquero y usted limitarse al cepillado semanal, eso, si lleva al perro a la peluquería canina con cierta frecuencia.

Si el pelaje crece completamente antes de que usted haga el acicalado, perderá el patrón y tendrá que comenzar el proceso desde el principio. Sólo recuerde que muchos dueños de mascotas puede hacer un trabajo tan bueno, o incluso mejor ¡que algunos peluqueros profesionales! Al margen de esto, si no mantiene a su perro peinado y

cepillado, en poco tiempo lo tendrá lleno de nudos.

Los peluqueros profesionales han empezado a hacerle a los

El corte de mascota es una simpática opción para aquellos que no quieren mantener completo el manto del Yorkie. También se le llama «corte de cachorro», y la razón es evidente.

Yorkshire mascotas el corte del Miniature Schnauzer, así el perro tiene el pelo más corto y es más fácil mantenerlo, además de darle una apariencia muy simpática. Mantener este corte de pelo es muy fácil, así que considérelo.

Es importante recortar también las uñas del perro; lo mejor es empezar en la primera semana de tenerlo en casa. Compre un buen cortaúñas para masco-

En las primeras etapas del corte de uñas, sostener al perro en el regazo puede ofrecerle más confianza.

Todo un decano del pedicuro, este Yorkie se sienta disciplinadamente mientras le cortan las uñas.

tas. También puede adquirir un lápiz estíptico para el caso en que recorte muy corta la uña y sangre. Es difícil ver el vaso sanguíneo que corre por dentro de las uñas porque el Yorkshire Terrier las tiene negras. Hasta que usted se familiarice con el proceso, puede limitarse a despuntarlas. Si no comienza a hacerlo desde que el cachorro es pequeño a fin de que se acostumbre, le será muy difícil conseguirlo una vez que crezca y se resista al procedimiento.

Cepille a su Yorkie por lo menos una vez a la semana, córtele las uñas una vez al mes o algo así, y báñelo cuando sea necesario. Considere la posibilidad de llevarlo al peluquero para que le haga un corte de pelo que sea bonito y fácil de mantener. Cualquiera que sea el largo del manto, su Yorkie siempre se verá bien y lucirá toda su delicada belleza.

La delicada belleza de este terrier miniatura con su magnífico manto es lo que atrae a tanta gente.

ACICALADO DEL YORKSHIRE TERRIER

Resumen

■ No hace falta decir que el dueño del Yorkie ¡tiene que trabajar mucho en el acicalado!

■ Tenga a mano el equipo básico para que pueda acostumbrar al Yorkie al acicalado desde que es cachorro.

■ El método de acicalado dependerá de cuán largo sea el pelo de su Yorkie y de cuán a menudo lo lleve al peluquero profesional.

■ El cepillado sistemático, una vez o más a la semana, mantendrá el pelaje del perro libre de enredos y nudos.

■ Además del cepillado, del baño y del corte de pelo, el acicalado incluye el cuidado de las uñas y un chequeo general para ver si la piel y el pelo están sanos.

Cómo mantener activo al Yorkshire Terrier

Los perros falderos, como el Yorkie, pueden destacarse en muchas otras áreas además de ilos regazos y los sofás!

Al margen de sus escasos dos kilos, los Yorkies pueden ser excepcionalmente buenos en muchas actividades y les sienta muy bien mantenerse ocupados en compañía de sus amos. Algunos dueños buscan algo que implique un reto y en verdad hay muchas actividades capaces de mantenerlos muy ocupados, activos e interesados, en compañía de sus amos. Aunque son pequeños, los Yorkies pueden descollar en muchos campos debido a su inteligencia y alto nivel energético.

Después del kindergarten para cachorros, a usted podría interesarle trabajar en pro del premio al Buen Ciudadano Canino. Cuando se realiza completamente el programa, el resultado es un perro con muy buenos modales en casa, en lu-

Podrán ser falderos, pero a los Yorkies les encanta estar al aire libre como a cualquier otro perro.

gares públicos y en compañía de otros perros. Estos cursos están disponibles para los perros (de raza o no) de cualquier edad. Son divertidos y útiles para la vida diaria. Hay diez etapas, entre las cuales se encuentran: aceptar un extraño amistoso, sentarse disciplinadamente para ser acariciado, aceptar que un extraño le acicale y examine ligeramente, caminar con la correa floja, venir cuando se le llama, responder con calma ante otro perro, responder ante distracciones, echarse a la orden y permanecer tranquilo durante tres minutos cuando su dueño está fuera de la vista. Después de completar el curso con éxito, recibirá un certificado de la sociedad o club canino acreditándole como Buen Ciudadano Canino.

En el caso del joven cachorro, ya verá cuánto disfruta jugar con usted y con sus juguetes. A todos los cachorros les gusta correr detrás de las pelotas y, a veces, devolverlas a sus dueños. Al suyo le encantará que usted juegue con él. Nunca le dé un juguete o pelota tan pequeño que corra el riesgo de

Además de reportarle beneficios dentales, los juguetes para morder, siempre que sean seguros e inofensivos, mantendrán ocupados los dientes y la mente del Yorkie.

Las exposiciones de conformación son populares entre los aficionados al Yorkie. Los perros de exposición requieren un acicalado completo antes de que les llegue el turno de posar para el juez.

tragárselo porque, como en el caso de los niños, se lo tragará y a usted no le quedará por delante sino un caro viaje al veterinario.

La Obediencia es un deporte bien establecido donde los Yorkies pueden descollar. Las competiciones de Obediencia lo mismo se celebran solas que junto a exposiciones de conformación. Hay muchos niveles en Obediencia. Se comienza por el Novicio, después de lo cual –y de completar tres «jornadas»– el perro ganará el título de Perro Compañero (Companion Dog: CD). Los niveles van creciendo en dificultad; el próximo es el Abierto. Después de completar exitosamente tres jornadas en este nivel, el perro gana el título de Perro Compañero Excelente (Companion Dog Excelent : CDE). La próxima clase es Utilidad (Utility : UD), que incluye el trabajo sin correa, con silenciosas señales manuales, así como recoger las piezas correctas dentro de un grupo. No muchos perros alcanzan este nivel, así que es un gran logro conquistar el título de Perro de Utilidad.

El Circuito de Agility, que se originó en Inglaterra, es un deporte relativamente nuevo. Es muy popular y puede vérsele fácilmente en las exposiciones caninas. Busque la pista más grande y bulliciosa de todas, esa que está llena de competidores y perros corriendo a través de un circuito mientras los emocionados espectadores les estimulan con sus vivas desde fuera.

A los perros se les enseña a recorrer un circuito que incluye vallas, escalas, saltos y otros desafíos. En función de los obstáculos que el perro sea capaz de vencer, hay diferentes títulos que se dan en el Circuito de Agility. El Agility es «el placer de combinar comunicación, entrenamiento, rapidez, precisión y simple goce en un juego fuera de serie para presentador y perro.» Es un gran ejercicio tanto para el dueño como para el perro y resulta muy divertido ver correr a este perrito ¡con sus cortas pero enérgicas patas!

El título máximo es el de Perro Compañero Versátil. Este grado otorga reconocimiento a

Los presentadores de Yorkie disfrutan exhibiendo estas pequeñas y pasmosas maravillas en la pista de exposición.

aquellos perros y entrenadores que han tenido éxito en múltiples deportes caninos. Para poder destacarse en cualquiera de las actividades mencionadas anteriormente, es esencial pertenecer a un club canino que cuente con los equipos e instalaciones adecuadas para la práctica. Localice una buena escuela dentro de su área y, an-

tes de matricularse, asista a clases como espectador. Si le gusta el lugar, el instructor y el tipo de clases, matricule a su perro para el próximo curso, que probablemente tendrá una frecuencia de dos clases por semana, ya sea por la mañana o por la tarde.

Los deportes caninos se han vuelto tan populares para el público que no debe serle difícil encontrar una instalación adecuada para entrenar. Ya verá qué gran experiencia es trabajar con su propio perro y conocer gente nueva con intereses afines a los suyos. Claro que necesitará dedicarle tiempo e interés, y contar, en el otro extremo de la correa, con un perro dispuesto a trabajar.

Los Yorkshire Terriers se han destacado en el rastreo, y se desempeñan muy bien como perros de terapia. En este último caso, se trata de llevar al perro a un centro de cuidados (ya sea un sanatorio u hospital) durante una o dos horas cada semana para que visite y brinde compañía y estímulo a las personas allí ingresadas.

El Yorkie, con su ágil cuerpecillo, navega con facilidad entre las estacas cimbreantes del circuito de Agility.

Claro que la manera más fácil de mantener a su perro activo y en forma es sacarlo de paseo cada mañana y cada tarde. ¡Será bueno también para usted! Recuerde que el Yorkshire Terrier es un perro con mucha energía y que necesita mucha actividad para mantenerse contento. No espere que se le siente cerca y pase las tardes mirando la televisión, porque él prefiere pasar el tiempo con usted en un cursillo de agilidad u obediencia, o simplemente paseando.

CÓMO MANTENER ACTIVO AL YORKSHIRE TERRIER

Resumen

■ Será pequeño, pero ¡le sobra energía! El Yorkie es todo un atlético faldero, dispuesto a participar en muchas actividades.

■ El mejor tipo de actividad para el Yorkie es la que comparte con su amado dueño.

■ Averigüe sobre las diferentes actividades caninas, como la del Perro Buen Ciudadano, la Obediencia y el circuito de Agility. Tal vez pueda desarrollarse dentro del deporte canino hasta alcanzar un nivel competitivo.

■ Al enrolarse en cursillos o clubes de adiestramiento tanto usted como su perro se mantendrán ocupados con actividades y montones de nuevos amigos.

El Yorkshire Terrier y el veterinario

Una de los primeros asuntos que debe atender cuando traiga el perro a casa es encontrar un buen veterinario.

El propio criador, si vive en la zona, podría recomendarle alguno; de lo contrario, tendrá que encontrar por sí mismo una clínica que le satisfaga.

Una consideración importante a la hora de hallar un veterinario es que no viva a más de 20 kilómetros de su casa. Localice uno que le guste y que le ofrezca confianza. Usted debería tener la certeza de que él sabe lo que está haciendo y que tiene experiencia con las razas miniatura. Fíjese si su consulta se ve limpia y huele bien. Tiene todo el derecho de verificar las tarifas antes de concertar una cita (por lo general, hay que solicitar la consulta con antelación). Si la visita ha sido satisfactoria, llévese la tarjeta del veterinario con su nombre y el teléfono de la clínica. Trate de consultar siempre al mismo, porque conoce la histo-

El Yorkie sano es el Yorkie feliz, aquel que salta de gozo por los excelentes cuidados que le proporciona su amo.

ria clínica de su perro y éste se habrá familiarizado con él.

Indague si la clínica atiende llamadas de emergencia o no, porque muchas no lo hacen; si la respuesta es negativa, pregunte el nombre, dirección y número de teléfono del servicio veterinario de emergencia de su localidad y consérvelo junto al número de teléfono de su veterinario.

Lleve a la primera consulta la tarjeta que le dio el criador con la lista de vacunas que el cachorro ya tiene puestas para que el veterinario sepa qué es lo que le falta. También debería llevar una muestra de heces fecales para que le practiquen un análisis y comprueben si tiene parásitos. Cerciórese de que su veterinario está al tanto desde el principio de que algunos Yorkies pueden ser sensibles a la anestesia.

Vacunas

Las vacunas recomendadas son las que protegen contra las enfermedades más peligrosas en el cachorro y en el adulto. Incluyen: moquillo (virus de moquillo canino- CDV), fatal en los

Tratándose de una raza miniatura como el Yorkshire Terrier, nunca está de más insistir en la importancia de los cuidados dentales.

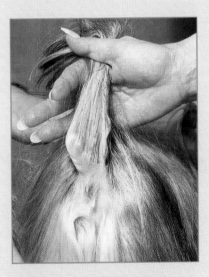

No se olvide ¡del otro extremo! El trasero del perro debe mantenerse limpio y hay que exprimirle las glándulas anales cuando sea necesario; esta tarea es mejor que la haga el veterinario.

El Yorkshire Terrier y el veterinario

cachorros; parvovirus canino (CPV o parvo), altamente contagiosa, fatal también en los cachorros y peligrosa en los adultos; adenovirus canino (CAV2), altamente contagiosa y de alto riesgo para los cachorros que no han cumplido las 16 semanas de edad; hepatitis canina (CA1), muy contagiosa y de gran riesgo para los cachorros. Estos anticuerpos vienen generalmente combinados en lo que se llama una vacuna pentavalente. En algunos países se exige la inmunización contra la rabia, que se le inocula al cachorro tres semanas después de haber terminado su serie inicial de vacunas.

Otras vacunas son las de la parainfluenza canina, la leptospirosis, el coronavirus canino, la *bordetella* (tos canina) y la enfermedad de Lyme (borreliosis). Su veterinario le prevendrá si hay riesgo de estas enfermedades no fatales en su ciudad o vecindario y le aconsejará si debe o no inmunizar a su perro.

La pauta de la Asociación Estadounidense Hospitalaria de Animales (*American Animal Hospital Association: AAHA*) recomienda vacunar a los perros adultos cada tres años, en lugar de anualmente. Las investigaciones sugieren que las vacunaciones anuales pueden resultar en realidad excesivas y ser responsables de muchos de los problemas de salud que confrontan los perros en la actualidad.

Consciente de ello, la pauta clínica de la AAHA sugiere enfáticamente que los veterinarios y dueños consideren las necesidades y el riesgo particular de cada perro antes de decidir un protocolo de vacunación. Hoy por hoy, muchos dueños someten anualmente a sus perros a pruebas de análisis volumétrico para comprobar el estado de sus anticuerpos, en lugar de vacunarlos automáticamente contra el parvo o el moquillo.

Los dueños de perros deben tener un conocimiento básico de todas las enfermedades contra las cuales vacunan a sus perros. Hubo una época en que el moquillo era el azote de la cría de perros de raza, pero con la adecuada inmunización y manteniendo limpio el cubil de los cachorros, no representa en la actualidad un problema para los criadores serios. La hepatitis canina, muy rara en los Estados Unidos, es una infección severa del hígado causada por un virus. La leptospirosis es una enfermedad infrecuente que afecta los riñones; es rara en los cachorros jóvenes y se presenta sobre todo en los perros adultos. El parvovirus, reconocido por la fiebre, los vómitos y las diarreas que produce es una enfermedad mortal para los cachorros y puede diseminarse muy fácilmente a través de las heces fecales. La vacuna contra el parvovirus es muy efectiva.

Problemas de salud específicos del Yorkie

En sentido general, el Yorkshire Terrier es un perro muy sano, pero la raza confronta algunos problemas de los que usted debe estar consciente. Uno de ellos es la enfermedad de Legg-Calves-Perthes (también conocida como Perthes). Se trata de una enfermedad relacionada con los huesos y no es hereditaria. Se cree que está

causada por una lesión o posiblemente por un problema nutricional.

La enfermedad aparece entre los cuatro y los nueve meses de edad y es muy dolorosa. El

perro cojea de una de las patas traseras o de ambas y eventualmente los músculos sufren un fuerte desgaste. Hay algunos tratamientos para Perthes, pero deben ser controlados por el veterinario.

La luxación patelar, dislocación de la rótula, es un desorden

El veterinario se hará responsable de todo cuanto atañe al programa de vacunación del cachorro, y lo continuará en el punto en que lo dejó el criador.

esquelético, que los criadores serios y responsables se esmeran por eliminar de la raza a través de la cría concienzuda. Este defecto está causado por una mala angulación de las patas traseras y falta de musculatura, así como también debido a los saltos. Los dueños deben limitar la cantidad de saltos que da el Yorkie. En la raza también pueden encontrarse babillas sueltas y algunos problemas de la médula espinal.

Los problemas oculares no son frecuentes en la raza, pero los criadores han comenzado a prestar atención a las incidencias de la atrofia progresiva de la retina (APR), cataratas hereditarias (CH), queratitis seca y distiquiasis. Los criadores responsables someten a análisis a su plantel reproductor para cerciorarse de que está libre de APR y de CH.

Las garantías de salud son importantes, y el criador responsable le entregará un contrato garantizando que su cachorro está libre de ciertos defectos congénitos. Esta garantía se limita a seis meses o un año. Si hay un problema, él probablemente le cambiará el cachorro por otro o le ofrecerá algún tipo de compensación.

Higiene

No desestimemos el consabido cuidado doméstico del nuevo cachorro. Desde el principio, usted debería acostumbrarlo a la rutina del examen físico. Cada vez que lo acicale, debe revisarle las orejas, ojos, dientes y glándulas anales.

Hay que revisar las orejas por si están sucias o muestran señales de infección. Tome un trapo húmedo –un paño viejo y suave, por ejemplo- y limpie con suavidad el interior de la oreja. Si nota que tiene cerumen o mal olor, debe llevar el perro al veterinario para que le limpie debidamente las orejas. Si hay infección, él le prescribirá un aceite o líquido para eliminar el problema. Las orejas erectas, como las del Yorkie, se ensucian más fácilmente que las caídas u orejas «cálidas», donde las infecciones se desarrollan con mucha mayor facilidad.

Si ve que su perro está sacudiendo la cabeza de un lado a otro, si la sostiene de un solo lado, si se rasca las orejas o presiona la cabeza o la oreja contra la alfombra o los costados del mobiliario, puede estar

disciplinado en su aplicación y que complete todo el tratamiento.

Cuando esté acicalando a su perro, tome el paño y limpie con delicadeza el área que rodea a los ojos: puede haber

¡Barriga al aire! La piel del estómago debe ser rosada y limpia, sin señales de erupción u otros problemas.

casi seguro de que tiene una infección auricular. Su veterinario podrá prescribirle una solución para tratar la infección, en cuyo caso le recomendamos que sea diligente y

manchas causadas por las lágrimas, y suciedad acumulada. Para ello puede valerse de la simple agua tibia o de una solución limpiadora específica para este fin.

Cualquier rojez que aparezca en los ojos debe motivar un examen ocular. Usted mismo puede adquirir un medicamento sin receta que se vende en la tienda para mascotas para eliminar la irritación. Si el problema persiste, tendrá que acudir al veterinario.

Los perros miniatura suelen tener problemas con los dientes. Comience a revisar sistemáticamente la dentadura de su Yorkie desde que es cachorro. También debería cepillárselos regularmente. Puede limpiarle los dientes usando un paño pequeño o un trozo de gasa enrollada en un dedo. Con suavidad frote su dedo hacia atrás y hacia delante sobre los dientes como si fuera un cepillo. No use pasta dental para personas, busque una para perros.

Si permite que se desarrolle la placa en los dientes, su perro tendrá tantos problemas dentales como los de una persona. Los veterinarios ofrecen el servicio de limpieza dental, que es caro, pero si usted se ocupa del asunto en casa, no necesitará el concurso de un profesional. Varios bizcochos diarios, además del granulado seco, ayudan a evitar la acumulación de placa dental.

A medida que el perro envejece, lo mismo que pasa con las personas, los dientes pueden caerse, lo que acrecentará los problemas y le dará mal aliento. Su veterinario puede considerar necesario extraer una o dos piezas, pero la mayoría de los perros continúan comiendo incluso si les han extraído todos los dientes. Por supuesto, la dieta tiene que variar un tanto, pero igual les va muy bien. Cualquier olor desagradable en la boca es señal de que hay problemas con los dientes y encías del perro. Lamentablemente, en el Yorkshire Terrier es frecuente la pérdida prematura de alguna que otra pieza, así que tome todas las medidas para que las de su mascota duren el mayor tiempo posible.

Todos los perros tienen a ambos lados del recto las llamadas glándulas anales. Su contenido, de olor muy fuerte, se usa para marcar el territorio, y por lo general se libera cuando el perro defeca. Ocasionalmente, hay que vaciarlas manualmente. La primera vez pida a su veterinario que le instruya sobre cómo hacerlo para que luego pueda usted ocuparse de ello en casa, aunque es una tarea ¡maloliente y desagradable! Si su perro frota el trasero contra el suelo, es señal de que las glándulas anales están congestionadas. A veces, pueden inflamarse. Pero en determinadas ocasiones, no es fácil notarlo.

El examen y cuidado de los ojos, dientes y glándulas anales forma parte de la atención casera que brindamos a nuestro perro. Acostúmbrelo a este proceso de higienización desde que es pequeño, haciendo sólo un poquito cada vez, y verá cómo cuando sea adulto no tendrá ninguna dificultad para llevar adelante este proceso de mantenimiento preventivo.

EL YORKSHIRE TERRIER Y EL VETERINARIO

Resumen

■ El veterinario que elija debería ser alguien con experiencia y conocimiento sobre razas miniatura, además de tener la consulta no lejos de su casa.

■ Escoja un veterinario con el cual tanto usted como su perro se sientan cómodos.

■ Analice con su veterinario el programa de vacunación de su cachorro.

■ Familiarícese con los problemas de salud específicos de la raza; también su veterinario debe estar al tanto de ellos. Los criadores deben reproducir sólo aquellos perros genéticamente sanos.

■ El cuidado preventivo que haga en su casa minimizará el riesgo de enfermedades y mantendrá a su Yorkie en buenas condiciones generales.

Cuando el Yorkshire Terrier envejece

El Yorkshire Terrier, uno de los perros domésticos más longevos, lleva una vida activa durante la mayor parte de sus 14 o 16 años.

Los dueños de Yorkie han sido bendecidos con perros longevos que permanecen fuertes y alertas durante casi toda la vida.

Los dueños notarán que sus perros comienzan a hacerse lentos a partir de los diez años. Ya no jugarán tan fuerte como acostumbraban y dormirán más. Rastrearán cualquier rayito de sol matutino para tomarse una larga siesta. Para ese entonces, probablemente usted ya le estará dando comida para perros ancianos. Continúe vigilándole el peso, porque ahora es más importante que nunca no permitir que se ponga obeso. Notará que el hocico se le pone gris y que pueden aparecerle opacidades en los ojos, señal de cataratas. Y, a medida que envejece, puede tornarse artrítico.

Continúe dándole los paseos habituales, pero que sean más cortos, y dele una aspirina para bebés cuando parezca que pierde agilidad. Converse con el veterinario sobre la nueva medicina para la artritis de los perros. Siga con el acicalado, porque tanto usted como él preferirán que luzca y huela bien. Esté al tanto de quistes y protuberancias, y si nota cualquier anormalidad, llévelo al veterinario. Los perros viejos también pueden padecer de incontinencia, algo que puede ser agobiante para usted y difícil en la casa, pero no es que se haya vuelto «malcriado», sino que el tono de su músculo excretor está perdiendo su efectividad.

La atención veterinaria ha cambiado mucho durante las dos últimas décadas, así también como la atención médica para los seres humanos. Ahora los veterinarios pueden hacer mucho por alargar la vida de los perros si los dueños están en disposición de gastar lo necesario. Lamentablemente, se puede alargar la vida del animal pero no devolverle la juventud. Su primera preocupación debería ser ayudar a su perro a vivir su vida cómodamente, y hay medicinas que pueden serle útiles en

El cuidado a los perros ancianos implica ir más frecuentemente al veterinario, porque los cambios que requieren atención médica pueden presentarse de improviso.

Cuando son dos perros, se ayudan mutuamente a mantenerse activos y juveniles.

este sentido. Cualquier cosa que decida, esfuércese por colocar al perro, su bienestar y comodidad por encima de sus propias emociones, y haga lo que sea mejor para su mascota.

Recuerde siempre los muchos años maravillosos que su mascota le regaló a usted y a su familia y, con ese pensamiento, puede que no pase mucho tiempo antes de que esté buscando un nuevo cachorro para la casa. Y helo aquí, volviendo al punto de partida con otro gracioso manojillo de alegría, ¡listo para disfrutar otros quince años de felicidad!

EL YORKSHIRE TERRIER Y EL VETERINARIO

Resumen

■ EL Yorkshire Terrier tiene una esperanza de vida de entre 14 y 16 años. Entre las señales de envejecimiento están el encanecimiento del hocico y un declive general en el nivel de actividad.

■ Continúe dando al Yorkshire Terrier los mismos esmerados cuidados y proporcionándole las facilidades que precisa en su vejez.

■ El perro anciano se beneficia acudiendo más frecuentemente al veterinario porque es importante detectar los posibles problemas a tiempo.

■ Analice con el veterinario cómo ajustar la rutina de cuidados caseros de su perro anciano y pregúntele por las innovaciones de la medicina canina que puedan beneficiar a su envejecido amigo.

■ Recuerde toda la alegría que su Yorkshire Terrier le ha proporcionado a lo largo de su vida y haga todo lo posible por ayudarle a vivir sus años dorados tan feliz y cómodamente como sea posible.